VADE-MÉCUM
DE GESTALT-TERAPIA

Dados Internacionais de Catalogação na Publicação (CIP)
(Câmara Brasileira do Livro, SP, Brasil)

Ribeiro, Jorge Ponciano
   Vade-mécum de Gestalt-terapia : conceitos básicos / Jorge Ponciano Ribeiro. – 3. ed. São Paulo : Summus, 2016.

   Bibliografia.
   ISBN 978-85-323-0301-3

   1. Gestalt (Psicologia) 2. Gestalt-terapia – Manuais, vade-mécuns etc. 3. Psicoterapia I. Título.

06-4722   CDD-616.89143

Índice para catálogo sistemático:
1. Gestalt-terapia : Vade-mécum : Psicoterapia : Medicina   616.89143

Compre em lugar de fotocopiar.
Cada real que você dá por um livro recompensa seus autores
e os convida a produzir mais sobre o tema;
incentiva seus editores a encomendar, traduzir e publicar
outras obras sobre o assunto;
e paga aos livreiros por estocar e levar até você livros
para a sua informação e o seu entretenimento.
Cada real que você dá pela fotocópia não autorizada de um livro
financia o crime
e ajuda a matar a produção intelectual de seu país.

JORGE PONCIANO RIBEIRO

VADE-MÉCUM DE GESTALT-TERAPIA

CONCEITOS BÁSICOS

summus
editorial

VADE-MÉCUM DE GESTALT-TERAPIA
Conceitos básicos
Copyright © 2006 by Jorge Ponciano Ribeiro
Direitos desta edição reservados por Summus Editorial

Capa: **Alberto Mateus**
Projeto gráfico e diagramação: **Crayon Editorial**

4ª reimpressão, 2024

Summus Editorial
Departamento editorial
Rua Itapicuru, 613 – 7º andar
05006-000 – São Paulo – SP
Fone: (11) 3872-3322
http://www.editoraagora.com.br
e-mail: agora@editoraagora.com.br

Atendimento ao consumidor
Summus Editorial
Fone: (11) 3865-9890

Vendas por atacado
Fone: (11) 3873-8638
e-mail: vendas@summus.com.br

Impresso no Brasil

À Maureen Miller O'Hara pelas sementes lançadas...

A todos os que se preocupam com o futuro da abordagem gestáltica.

À Ziulma e aos nossos filhos, Alexandre, João Paulo, Ana Cecília, Carina Isabel e Maria Clarete, que, ao meu lado, têm construído uma caminhada compartilhada pelo amor e pela cumplicidade.

À Francisca Rodrigues Santos Filha, minha secretária, que ao longo dos anos tem, com zelo e dedicação, acompanhado minha trajetória acadêmica.

À Rita de Cássia Tesch Hosken de Almeida pela sua cuidadosa leitura, análise e pelas preciosas sugestões.

SUMÁRIO

Palavras do autor 9

PARTE 1: Abordagem gestáltica e Gestalt-terapia: proposta de uma metateoria de ação
Introdução 19
A teoria da prática e a prática da teoria 26
Conclusão 51

PARTE 2: Conceitos básicos
Auto-regulação organísmica 55
Agressividade 59
Ajustamento criativo 64
Aqui-agora – aqui e agora 69
Awareness 74
Bloqueio do contato 78
Campo 83
Ciclo do contato 87
Contato 91
Corpo 95
Cuidado 100
Diálogo 104
Experimento 109
Essência e existência – essência–existência 113
Fenômeno 118
Figura–fundo – figura e fundo 122
Formação e destruição de figuras 127
Fronteira de contato 132
Gestalt 137

Ipseidade 141
Mudança paradoxal... 145
Necessidade.. 150
Parte e todo – parte–todo.. 154
Polaridade 158
Presença 162
Relação complementar.. 166
Self 170
Totalidade 174

Posfácio 179
Notas... 181
Bibliografia.. 183

PALAVRAS DO AUTOR

A função da descrição fenomenológica não é a de substituir uma explicação dos processos dinâmico-causais, mas proceder a uma descrição pré-teorética visando à superação dos preconceitos decorrentes de uma abordagem metafísica dos fenômenos psicológicos. Quando o psicólogo, utilizando o método fenomenológico, procura descrever a estrutura essencial do fenômeno psicológico a ser explicado, ele não está ainda fazendo teoria, mas estabelecendo as condições básicas para uma possível teoria. Portanto, a função da abordagem fenomenológica não é a de teorizar, mas a de permitir a elaboração de conceitos que expressem adequadamente o fenômeno que se pretende estudar.[1]

Nossa proposta é exatamente esta, a de "descrever a estrutura essencial do fenômeno psicológico a ser explicado" e, assim, estabelecer "as condições básicas para uma possível teoria".

Acredito poder afirmar que a Gestalt-terapia e, sobretudo, a abordagem gestáltica dão ainda seus passos iniciais na constituição de uma teoria que, de fato, represente toda sua riqueza de possibilidades.

Verdade seja dita, já escrevemos muito a esse respeito. Entretanto, nos faltam textos que trabalhem ou nos ajudem a trabalhar com sua teoria de maneira adequada, isto é, obras em que teoria e prática possam resultar em respostas reais às necessidades dos profissionais e dos clientes e possam servir de instrumento para trabalhos de pesquisa – área ainda pouco desenvolvida entre nós.

Este trabalho visa mapear lugares teóricos, baseados nos quais os profissionais possam começar a responder a demandas mais amplas que as puramente clínicas, com trabalhos que denotem preocupação com a saúde da comunidade – divisor que demarca um atendimento burguês e elitizado ou, de outro lado, integrado como serviço às necessidades das pessoas.

A abordagem gestáltica e, dentro dela, a Gestalt-terapia possuem um vasto e sólido campo de sustentação teórica. Por essa razão, apresentam uma complexidade que, objetivamente, dificulta sua prática, levando-se em conta também a subjetividade interpretativa e operacional de cada gestaltista.

A produção de textos da área pode ser considerada boa e criativa, mas corremos o risco da generalização se escrevemos sobre tudo sem nos aprofundarmos nos principais referenciais.

Este trabalho pretende fornecer aos estudiosos da abordagem gestáltica alguns instrumentos teóricos que facilitem a operacionalização de seu trabalho. Busco fazer, por meio da apresentação de conceitos básicos, o que Lewin chama de "tipo conceitual", "dimensão conceitual" e ainda "dimensões de construção", mediante os quais podemos pensar não apenas a psicoterapia, bem como possíveis pesquisas que ofereçam respostas às demandas práticas da comunidade.

> Uma das principais dificuldades em planejar experimentos proveitosos num novo campo é a incapacidade de formular questões teóricas e experimentais inteligente e adequadamente. Uma investigação dos tipos conceptuais é um dos primeiros passos mais úteis para a formulação dessas questões.[2]

Na verdade, andamos pouco, porque não temos explorado, suficientemente, as riquezas que teóricos na área da psicologia e filósofos de nossa base conceitual nos têm fornecido. Precisamos abandonar uma concepção de psicoterapia como simples arte, como improvisação inteligente, como resposta a hipóteses, que são baseadas, muitas vezes, em conceitos ou intuições psicológicas, mas não encontram suporte em nossos pressupostos. A dificuldade de formulações teóricas nasce, ainda, da imprecisão de conceitos, de um saber passado de boca em boca e da dificuldade de nos adentrarmos nas teorias de base, sobretudo na Teoria do Campo e na Psicologia da Gestalt.

> Finalmente, a idéia de tipos conceptuais ou dimensões dá significado científico à questão sobre o que "é" um fenômeno psicológico. Auxilia a determinar se o termo psicológico designa um conglomerado de fenômenos que podem ser concebidos como uma unidade somente ao nível dos conceitos "fogo e água" ou se vale a pena incluí-lo numa Psicologia de construções que tem dimensões conceptuais claramente definidas.[3]

Ao descrever cada um dos conceitos, tivemos a preocupação de fazer o que Lewin chama de "tipo conceitual, de dimensões de construção, de dimensão conceitual", para que o conceito fosse expresso de maneira clara, precisa, e não significasse um conglomerado de fenômenos que, eventualmente, pudessem denotar muitas coisas ao mesmo tempo.

A finalidade deste texto é indicar caminhos, criar possibilidades de trabalho, pois cada conceito vem definido em três níveis: uma reflexão geral sobre o conceito, um aspecto teórico mais específico e a aplicação na prática clínica. Tentamos mostrar que cada construto é, simultaneamente, um sistema complexo de contato, um fenômeno psicológico e um instrumento de trabalho.

Quando apresentamos cada construto em três níveis de compreensão e aplicação, fazemos o que Lewin chama de fenômeno psicológico. Estamos descrevendo, tentando dar visibilidade a cada conceito, de tal modo que fazemos da teoria uma prática e da prática uma teoria.

Dizemos sempre que cada conceito só tem sentido se puder ser operacionalizado. Um conceito pode perfeitamente nascer da pura intuição teórica de um pesquisador, e, normalmente, é este o caminho da construção científica.

Neste texto, quando falamos de "construção científica", de "tipo conceitual", de "dimensão conceitual ou dimensões de construção", estamos dizendo que cada um dos conceitos aqui descritos tenta reconstruir a proposta de Lewin, pois eles nascem, todos, das teorias que dão sustentação à abordagem gestáltica, em que pesem, é óbvio, as particularidades de estilo e posições do autor.

> É de grande importância metodológica conhecer a dimensão conceptual de uma construção. (1) Somente aquelas entidades que têm a mesma dimensão conceptual podem ser comparadas nas suas magnitudes. (2) Tudo que tem a mesma dimensão conceptual pode ser quantitativamente comparado, sua magnitude medida, em princípio, com o mesmo instrumento (unidades da medida).[4]

O leitor verá que, após a descrição geral de cada conceito, colocamos o tópico "Teoria" e que, ao final deste, existirá um elenco de outros conceitos mediante os quais será possível lidar, clinicamente, com o conceito em questão. Isso porque entendemos que esse elenco de conceitos propostos tem a mesma dimensão conceitual entre si e com o conceito tratado e que eles, consequentemente, podem ser comparados, até quantitativamente, em sua magnitude medida. Este texto reflete um estudo aprofundado das dimensões conceituais entre o conceito tratado e as dimensões conceituais dos outros conceitos, o que permitirá a utilização de um e de outros na operacionalização de um trabalho, pois afinal todos têm entre si a mesma dimensão conceitual.

> Obviamente, o estado do desenvolvimento da Psicologia não permite realizar um relacionamento sistemático de cada construção com todas as outras por meio de um sistema de equações quantitativas. Por outro lado, estou inclinado a pensar que a Psicologia não está longe de um nível em

que um bom número de construções básicas podem ser relacionadas de maneira precisa.[5]

Lewin escreveu esse pensamento em 1951. Passaram-se quase sessenta anos e a situação parece ainda não ter mudado consideravelmente, apesar da publicação de alguns trabalhos teóricos ao longo destes anos. Tentamos, aqui, fazer exatamente o que Lewin afirmava faltar, isto é, suprir a lacuna lamentada por ele, "criando" um relacionamento sistemático de cada construção com todas as outras por meio de um sistema de equações quantitativas.

Se não temos clareza dos conceitos básicos da abordagem gestáltica, se fazemos uma Gestalt baseada vagamente em suposições teóricas, é até possível que estejamos fazendo psicoterapia, mas não poderemos "quantificar" tais resultados, porque nos faltarão conceitos claros com base nos quais essas "medições" poderiam ser feitas.

> Sempre que surge o problema da medida psicológica deveríamos perguntar: Qual o tipo conceptual do fenômeno que queremos medir, e como o procedimento de medir se relaciona com este tipo particular? A preocupação com este aspecto da medida muito contribuiria para esclarecer as relações freqüentemente obscuras entre a definição conceptual de uma construção psicológica e se sua definição operacional (sintomas, medidas) deveria facilitar o desenvolvimento de métodos para medir construções ainda não medidas.[6]

Um conceito claramente definido se transforma, facilmente, num instrumento operacionalizável. Tal objetivo nos permitirá utilizá-los, uma vez que definidos, como instrumentos clínicos e também como instrumento de trabalho de pesquisa.

Todos esses conceitos nascem da literatura gestáltica corrente – embora venham sendo definidos muito livremente –, sem que possamos ver, muitas vezes, sua ligação direta com as teorias de sustentação da abordagem gestáltica.

Uma definição precisa de conceitos que nos permitam não apenas trabalhar clinicamente com mais clareza, como também abrir um vasto campo à pesquisa, dado que, uma vez definidos e operacionalizados, estão também prontos para ser matematizados, conforme diz Lewin, por meio de definições que orientem possíveis medidas. Um conceito não nasce por si só, ele emerge de uma teoria, da qual nos mostra uma pequena realidade. Esse conceito, quando operacionalizado e disponível para a pesquisa, revela aquilo que ele é em si, isto é, aquilo que ele mede, e, ao mesmo tempo, abre uma imensa porta para uma melhor compreensão da teoria da qual ele nasce.

Este texto trabalha 28 dos principais conceitos de nossa abordagem. *Gestalticamente, posso dizer que cada um destes conceitos pode ser compreendido e focalizado à luz de cada uma de nossas teorias.* Teoricamente, é importante visualizar de onde ele emana, a fim de que possa ser revestido de todo um campo teórico maior, do qual ele nasce e para o qual retorna, na medida em que estamos tentando comparar conceitos entre si que nascem de uma mesma teoria. Na prática clínica, é possível notar que muitos conceitos estão teoricamente ligados a outros e que podemos, muitas vezes, usar um ou outro como instrumento de trabalho, em um caso específico. E, finalmente, vemos que muitos conceitos encontram suas raízes em mais de uma teoria, e esta é uma das especificidades da abordagem gestáltica e da Gestalt-terapia.

O quadro a seguir nos permite visualizar a relação entre nossas várias teorias e os conceitos que delas decorrem.

TEORIAS DE BASE	Conceitos
Psicologia da Gestalt	Figura e fundo; formação e destruição de figura; fronteira de contato; parte e todo; totalidade; Gestalt; experimento; bloqueio do contato; contato; ciclo do contato; necessidade; polaridade.
Teoria do Campo	Campo; fronteira de contato; parte e todo; totalidade; Gestalt; experimento; figura e fundo; formação e destruição de figura; necessidade; polaridade; ciclo do contato; contato; bloqueio do contato.
Teoria Holística	Auto-regulação organísmica; totalidade; Gestalt; figura e fundo; formação e destruição de figura; fronteira do contato; necessidade; contato; ciclo do contato; bloqueio do contato; polaridade.
FILOSOFIAS DE BASE	
Humanismo	Cuidado; diálogo; presença; corpo; ipseidade; self; contato; bloqueio do contato; *awareness*; polaridade; Gestalt.
Existencialismo	Essência e existência; corpo; ipseidade; self; contato; ciclo do contato; bloqueio do contato; *awareness*; aqui e agora; agressividade; Gestalt.
Fenomenologia	Essência e existência; fenômeno; corpo; aqui e agora; ipseidade; experimento; Gestalt; self; contato; ciclo do contato; bloqueio do contato; agressividade.
CLÍNICA GESTÁLTICA	
Prática clínica	Agressividade; *awareness*; ajustamento criativo; relação complementar; polaridade; mudança paradoxal; experimento; necessidade; self; contato.

Sabemos que a Gestalt-terapia incorporou saberes de outras teorias, teorias estas que foram, primeiro, mestras de Fritz Perls, como a psicanálise, a teoria reichiana e o Zen-

Budismo, e que ele, de algum modo, reaproveita e transforma em seu jeito peculiar de vê-las. Nesse presente texto, utilizamos apenas as teorias fundamentais de nossa abordagem, na esperança de que alguém, algum dia, faça o mesmo com esses antecedentes teóricos de nosso fundador e dos quais muito temos também a aprender teoricamente.

O leitor tem nas mãos um conjunto de conceitos, visualizados num quadro, em que cada conceito está relacionado a uma ou a mais de uma de nossas teorias de base. Esse quadro pretende mostrar que um conceito não nasce do nada. Ele expressa uma parte de uma teoria e com base nele se podem constituir técnicas e metodologias de ação.

Nossa intenção, como é próprio de um *vade-mécum*, é apresentar um resumo claro e bem delineado de cada um desses conceitos aqui expostos. Enfim, uma síntese do que o autor acredita ser um pensamento geral daquilo que, normalmente, se ensina sobre cada um deles em nossas teorias e filosofias de base, acrescidos, como não poderia deixar de ser, da própria compreensão teórica do autor.

Afinal de contas, *vade-mécum* significa, literalmente, "vem comigo".

JORGE PONCIANO RIBEIRO

parte 1
Abordagem gestáltica e Gestalt-terapia: proposta de uma metateoria de ação

INTRODUÇÃO

Corpus sanum in mente sana.
Mente sã, corpo são.

Tudo que desce sobe.

A EPISTEMOLOGIA É O REINO das possibilidades críticas do discurso. Criticar é lançar um olhar à lógica interna do pensamento e seguir as conjunções intrínsecas do argumento até que se forme um sentido com coerência interna e externa.

Escrever este texto passa pela mesma situação crítica. Ao intitulá-lo "Abordagem gestáltica e Gestalt-terapia: proposta de uma metateoria de ação", quis fazer uma dupla distinção.

Estamos no campo da fenomenologia, sistema que descreve a realidade por meio de conceitos orientadores do pensar e do agir humanos. Neste caso, fenomenologia é um sistema conceitual que pode dar suporte a qualquer ramo do conhecimento. Assim, podemos dizer psicologia fenomenológica como podemos dizer arquitetura fenomenológica ou medicina fenomenológica. Fenomenologia, portanto, concebida como expressão de um sistema de pensamento universalizado dentro do qual cabe qualquer conjunto organizado de informação.

Deste modo, ao dizer: "Abordagem gestáltica e Gestalt-terapia: proposta de uma metateoria **de** ação", e não **da** ação ou **para** a ação, afirmamos que utilizaremos o arcabouço teórico da fenomenologia, como um todo, aplicando-o especificamente aos propósitos da Gestalt-terapia. Ou seja, não estamos tornando a fenomenologia o único caminho teórico possível à Gestalt-terapia. Se disséssemos uma metateoria **da** ou **para** a ação, precisaríamos, de um lado, especificar de que ação se trata e, de outro, estaríamos fazendo da fenomenologia o único canal por meio do qual a Gestalt poderia se expressar. Fica claro, então, que estabelecemos uma distinção entre Gestalt-terapia e fenomenologia. Logo, a visão de mundo da Gestalt é fenomenológica, mas a visão de mundo da fenomenologia não é a gestáltica, é algo para além da Gestalt, daí a expressão uma **meta**teoria **de** ação.

Buscamos na fenomenologia aquilo que serve à visão de mundo da abordagem gestáltica, lembrando que a fenomenologia continua soberana, servindo de pressuposto teórico a quantas teorias queiram buscar nela sua base epistemológica.

Apresentamos ao leitor uma visão teórico-prática de nossa abordagem por intermédio de uma reflexão que, envolvendo psicologia, humanismo e fenomenologia, mostra a Gestalt-terapia refletindo – como ciência, técnica e arte – a junção entre humanismo, psicologia e o método fenomenológico com o auxílio do pensar e do fazer psicoterapêuticos.

A Gestalt-terapia, vista como uma expressão filosófica de totalidade, expressa a mais radical postura contra qualquer tipo de divisão ou dicotomia, no momento em que se abre para a convicção de que a separação pessoa–mundo não resgata o verdadeiro sentido do encontro humano, e, conseqüentemente, do humanismo, impedindo, como resultado disso, uma proposta metodológica que atenda às demandas do homem moderno.

A abordagem gestáltica não diz respeito só ao homem, mas à natureza como um todo, por isso resgatar o humano implica resgatar a relação corpo–pessoa, mente–pessoa, ambiente–pessoa. Três ângulos de um triângulo chamado totalidade.

Tentar resgatar o ser humano, sem levar em conta que ele é, essencialmente, corpo–mente–meio ambiente, é desconhecer a verdadeira essência da pessoa e torná-la inatingível à psicologia e a qualquer forma de psicoterapia.

Portanto, nossa abordagem implica, necessariamente, uma visão holística do mundo no qual o homem, imbricado na realidade, não pode ser pensado abstratamente, devendo, também necessariamente, conviver com grandes temas do mundo moderno, como ecologia humana, ética e cidadania.

Esses temas constituem algumas das grandes preocupações da Gestalt-terapia, que, além de ser uma teoria, pretende ser um procedimento, uma metodologia de trabalho. Ela se propõe, como procedimento básico, a descrever, resgatar e promover o humano, diferindo da psicologia, que tem, com freqüência, pensado friamente o ser humano como um animal racional, partindo de um de seus vieses teóricos, enfatizando pouco que, como ser de relação, ele é no mundo, do mundo e para o mundo. Chamaremos essa inclusão de **ambientalidade humana**.[7]

Esse ser-do-mundo não é para a pessoa um adendo, algo periférico, mas, sim, uma propriedade, um elemento constituinte de sua essência, que é ser **animal-racional-ambiental**, *formando uma totalidade essencial com a qual não estamos habituados a lidar. Saímos de uma definição linear para uma visão descritiva, qualitativa e totalizadora.*

Somente por abstração poderemos falar de tais conceitos, isolando-os um do outro, porque, na realidade, é a mútua, íntima e intra-relação existente entre eles que forma a totalidade, como unidade de sentido, que é a essência da pessoa humana e da qual decorre o verdadeiro sentido do humano.

Essa totalidade não pode ser pensada como um terceiro elemento que se acrescenta às partes, ou como algo que espera para ser incorporado e integrado a outra realidade, ou como um *tertium quid*, conforme diz Smuts, que nada teria que ver com uma realidade predefinida. *Totalidade é a alma que institui e constitui todas as coisas, é a alma da realidade, é a vida que circula nas coisas ou é a própria vida que mantém a vida e o sentido unitário das coisas.* Quando o ser humano rompe sua totalidade, ele adoece, não produz, perde sentido e – dependendo da gravidade desse rompimento – morre.

A essência das coisas é sua totalidade, em ação, operacionalizada, canalizada pela existência, no face a face entre observador e observado, para uma melhor percepção do mundo. No ser humano, por exemplo, essa totalidade é composta de animalidade, racionalidade, ambientalidade. Se qualquer um desses três subtodos for excluído desta totalidade, terá sua essência rompida, e, conseqüentemente, a existência desse objeto, como tal, se perderá como unidade de sentido.

A Gestalt-terapia, vista como uma postura humanista, não pode ser pensada fora da dimensão humana da existência, e é por isso que colocamos lado a lado psicologia, humanismo e Gestalt-terapia. Três posições teóricas que, necessariamente, precisam desembocar no ser humano – embora nem sempre se encontrem e funcionem no mesmo patamar.

A psicologia tem andado por muitas trilhas, às vezes até constituindo-se numa ciência um tanto quanto estranha ao ser humano, falando dele a distância, quase o ignorando, como se fosse uma ciência *per se*, abstrata, uma matemática do humano.

Na verdade, se falarmos em resgate de sentido, é a psicologia moderna que precisa ser resgatada, não o humanismo, porque este parece vir de muito tempo almejando um cantinho na mansão luxuosa da psicologia científica moderna.

A psicologia tem lidado mal com grandes temas do humanismo, como a questão da espiritualidade, da religiosidade, do masculino e do feminino, da ecologia humana, do prazer, da liberdade, todas predeterminações da natureza.

Neste sentido, a Gestalt-terapia, baseada no conceito de totalidade e vista como uma terapia do encontro e do contato, transforma-se naturalmente num *locus* que, prática e epistemologicamente, permite que a relação cliente–terapeuta conviva e transite, funcional e dinamicamente, na complexa rede dos caminhos da subjetividade.

Falando de subjetividade, cabe aqui uma reflexão sobre psicoterapia e ética das relações.

Ética (do grego *êthos*, ética), como uma filosofia, caminha pela estrada da objetividade, do real, enquanto percebido como real. Neste sentido, ética é um pressuposto ontológico, universal, inquestionável. Somos todos regidos por uma ética filosófica, por universais teóricos, como: todo ser humano merece respeito, a violência em psicoterapia é inconcebível, o cliente é único e tem de ser tratado como tal. A ética, portanto, explicita valores a serem seguidos por todos.

Ética (do grego *éthos*, moral; e do latim *mos*, moral, costumes), entretanto, como costume, como prática moral constituída, torna-se subjetiva e relativa. Essa ética constituída, fruto de um costume ou de uma prática clínica, varia de sistema a sistema, de uma escola a outra, de terapia individual para terapia de grupo. Psicanálise, terapia comportamental, Gestalt-terapia, terapias corporais possuem éticas (costumes) diferentes, porque emanam de pressupostos teóricos diversos e introduziram práticas de acesso ao cliente que demandam posturas diferentes. Assim, um gesto, como tocar, dar colo ou abraçar o cliente, por exemplo, pode ser considerado antiético para a psicanálise e ser um gesto totalmente adequado para uma terapia que lida com o corpo, pois elas partem de pressupostos diferentes. Assim, ainda, o abraço ou o beijo de saudação, por exemplo, são práticas comuns e rotineiras da cultura brasileira, e não é de estranhar que ocorram no *setting* terapêutico e coexistam também com a relação terapêutica. *O sentido das coisas depende, de um lado, da coisa como tal e, de outro, da subjetividade que preside o encontro humano. Logo, ética e intersubjetividade fazem todo sentido no contexto da psicoterapia.*

Daí a importância de uma visão humanista em psicoterapia, vista como um movimento que promove a percepção da pessoa como integrada, coerente, dinamicamente funcional, caminhando decidida na direção da redescoberta do corpo e de suas potencialidades, da alma e seus mistérios, do ambiente e sua magia, e de exaltação do que de luminoso existe dentro de cada um de nós.

Humanismo é, portanto, a matéria-prima da ética e da cidadania, *conditio sine qua non* para uma autêntica experiência do humano. O humanismo existencial tem tudo que ver com essa concepção de pessoa. E, dando um passo além, a fenomenologia existencial nos permite viver essa realidade, expressá-la, no aqui e agora, chamando em causa corpo–alma–ambiente, numa inter e intra-relação essencial.

Acredito que a fenomenologia existencial, necessariamente humanista, é uma das poucas linguagens possíveis hoje à psicologia clínica, e é também a roupagem de que se reveste a Gestalt-terapia a fim de ser visualizada como uma proposta teoricamente séria e, na prática, vivenciável. É por este ângulo que a Gestalt-terapia se transforma numa psicoterapia humanista.

Os conceitos de que falaremos nascem das filosofias de base para, em seguida, transformar-se em instrumento de trabalho. Por isso, estamos fazendo uma metateoria **de** ação. Neste texto específico, porém, tendo já selecionado os conceitos que nos ajudam a pensar, fenomenológica e gestalticamente, podemos afirmar que também fazemos uma metateoria **da** ação gestáltica, ou seja, que esses conceitos serão agora vistos com a finalidade de pensar a Gestalt de acordo com suas bases filosóficas.

A TEORIA DA PRÁTICA
E A PRÁTICA DA TEORIA

*A*BORDAREI, EM SEGUIDA, alguns conceitos ligados, sobretudo, ao campo da fenomenologia e pelos quais poderemos operacionalizar a abordagem gestáltica e a Gestalt-terapia, mostrando sua relação com uma visão de ser humano e de mundo e dando ao nosso enfoque uma maior consistência epistemológica.

A Gestalt-terapia, como qualquer forma de abordagem humana, precisa fundamentar-se nos postulados da ciência, da técnica, da arte e da linguagem, pois esses quatro elementos são alguns dos pilares da relação terapêutica, não obstante os estilos que cada gestalt-terapeuta assumirá com base neles. Alguns se expressam melhor pela teoria, outros pela reexperiência de processos emocionais, outros por um fazer acontecer, e outros, ainda, por uma terapia pela fala. A arte, como um canal livre de expressão contemplativa, habita todas essas possibilidades.

Abrindo a porta dos conceitos instrumentais de trabalho, mostraremos que a Gestalt fez uma longa e complexa caminhada conceitual, por meio da qual encontra e mostra sua visibilidade.

FENÔMENO

O construto de *fenômeno* é parte importante de nossa rotina teórica. No contexto terapêutico, a pessoa é, aqui-agora, o fenômeno humano que se oferece à nossa percepção e intuição como um dado para a consciência. Fenômeno é uma realidade distinta do observador, o qual se entrega, aberto, à sua leitura, que, por sua vez, nos conduz à imediatez do dado que nos faz sentir, pensar, fazer, dizer.

Quando falamos em fenômeno humano, estamos às vezes aquém, às vezes além do que entendemos por pessoa humana como uma realidade com um apelo interno para se revelar e para ser desvendada por um encontro. Cliente e terapeuta são fenômenos um para o outro, são duas realidades se desvendando mediante uma intersubjetividade vivida por ambos, como dados para a consciência. Ambos são, ao mesmo tempo, fenômeno humano e mundano.

Falamos de fenômeno como o mundo que nos cerca, do espaço vital com todas as suas variáveis psicológicas e não-psicológicas e de todo um universo pronto para ser processado pela consciência. Falamos que cliente e terapeuta se encontram exatamente como são, que nem cliente nem terapeuta deixam seus problemas fora do consultório, e que o fenômeno humano, cliente–terapeuta, está em íntima conexão com o fenômeno mundano, ambos disponíveis como dados a serem captados pela consciência. Esses dois fenômenos, humano e mundano, encontram-se como totalidades no consultório. Tudo será visto e revisto. A relação pessoa–mundo de ambos é o grande fenômeno à espera de ser desvendado, terapeutizado, ainda que de modo diferente.

O terapeuta não se encontrará com seu cliente se insistir em vê-lo através apenas de seu olhar clínico. E o cliente não se encontrará com o terapeuta, caso não consiga se ver com os olhos do terapeuta, porque, nos dois casos, estaremos fixados na coisa-em-si, ao passo que o fenômeno somente se revela quando o em-si-da-coisa é captado pela consciência. O fenômeno, portanto, é sempre um movimento relacional. É na troca amorosa do olhar que a mudança ocorre, é na inclusão do olhar que o fenômeno humano se revela, é no intuir o outro a partir dele mesmo que a realidade dele acontece para mim.

REDUÇÃO FENOMENOLÓGICA
Redução fenomenológica é um dos mais complexos construtos para ser explicitado num pequeno espaço, mas tentaremos fazê-lo por ser um de nossos significativos instrumentos de trabalho. Na redução fenomenológica, a mente é convidada a procurar a essência, a verdade última de toda a coisa, sua totalidade, e a nos colocar nela como um processo de encontro comprometido e não apenas como observadores da realidade.

A essência das coisas e das pessoas precisa ser descoberta e lida na realidade do outro, pessoa ou mundo. Não basta descobrir cognitivamente a essência das coisas, encontrar-se com seu sentido, é preciso ir além da essência, mergulhando no *como* das coisas, em seu significado, transformando-o no chão firme, a partir do qual a existência humana faz sentido.

Reduzir fenomenologicamente é encontrar-se com a essência e com a existência das coisas, porque só um encontro assim nos permitirá ver a pessoa como um todo e não como um sintoma a ser tratado.

O humanismo pede esse encontro, com ou sem intermediário, mas com amor, troca, compaixão, formando o tripé do encontro que modifica e transforma.

A redução facilita o encontro com o objeto procurado, pois reduzir é aproximar distâncias, é encontrar o sentido e o significado das coisas, é ir, como fazemos com o *zoom* de uma máquina fotográfica, aproximando o objeto percebido de uma maior percepção e compreensão, como objeto para a consciência. De maneira concisa, podemos falar de três níveis de redução.

HISTÓRICA: A redução histórica nos aproxima da realidade em si, tal como ela é. Talvez até possamos dizer que ela é a história da maneira como um conceito foi se constituindo ao longo do tempo: uma casa, uma pedra, como um dado bruto, sem nenhuma explicação. É a realidade fruto de um processo histórico, de uma gênese evolutiva, um ponto de chegada. Um diagnóstico estrutural frio, fruto apenas da chegada do dado. Por exemplo, em se tratando de uma dada coisa percebida, posso dizer: uma casa; e, em se tratando de uma pessoa ou de um diagnóstico, posso dizer, simplesmente: esquizofrenia.

EIDÉTICA: A redução eidética é a que define as coisas, é a totalidade contida na coisa, como percebida. Um universal existindo em forma de essência ou uma essência universalizante. Tudo está incluído ali. É a realidade ou a totalidade significada, cujo sentido e significado a consciência captou, aqui-agora. Aplica-se a tudo que possua o mesmo sentido e significado para a pessoa que observa. Se apontamos, por exemplo, para uma casa e dizemos: isto é uma casa, isto será tudo que entendemos por casa e qualquer objeto que contenha aquele sentido e significado poderá ser visto e definido como casa. Se entendemos (falando de um diagnóstico) por esquizofrenia uma divisão interna, uma rachadura no mais profundo do ser e dizemos que uma pessoa apresenta o sintoma da esquizofrenia, estaremos afirmando que ela e todas as pessoas que apresentarem essa divisão, essa rachadura profunda do ser, serão esquizofrênicas. Quando nominamos uma coisa, explicitamos sua essência, que se torna um universal e se aplica a todas as coisas que têm a mesma dimensão conceitual.

TRANSCENDENTAL: A redução transcendental é a que finaliza a percepção do sujeito, do indivíduo, da coisa com toda sua história, tornando-a única, inconfundível. É a chegada, no que concerne à definição, no singular indivíduo. É a chegada à coisa com todos os seus adjetivos e qualificativos. Seria uma aproximação mais ou menos assim: casa (redução histórica), casas (redução eidética), esta casa (redução transcendental). Por sucessivas aproximações, chegamos à essência mesma desta coisa que é objeto, aqui-agora, de nossa observação. Se falamos de uma pessoa, diríamos que ela tem o sintoma da esquizofrenia ou é esquizofrênica: *este homem "é"* esquizofrênico. Não estamos falando de nenhum outro, mas deste, aqui e agora, presente e objeto de nossa percepção consciente. A pessoa, neste caso, confunde-se com seu próprio estado esquizofrênico, que a torna, aqui-agora, única, inconfundível. Referimo-nos a um diagnóstico processual que foi feito para este homem e não serve absolutamente para nenhum outro.

A realidade, tal qual percebida, chega como um dado imediato, bruto, para, num segundo momento, ser objeto de distinções por meio das quais o objeto vai se tornando, de fato, um objeto para nós.

O processo terapêutico passa pela mesma situação. Digamos que o cliente passe por esses três momentos de redução fenomenológica. O cliente chega até nós como um dado bruto, como um fenômeno humano imediato. É sua redução histórica. Num segundo momento, quando ele encontra um ambiente acolhedor, vai lentamente se desdobrando para si e para nós, e aí podemos vê-lo tal como ele é, dentro de um quadro, de uma moldura, que, sem forçar uma definição, coloca-nos mais em contato com sua alma, isto é, com sua essência. É sua redução eidética. E, por último, quanto mais ele se despir de sua casca antiga, tanto mais poderá aprender a se ver como único e inconfundível. É sua redução transcendental. Esse processo permite que a mudança e a cura possam ocorrer.

AQUI E AGORA

Os construtos de *aqui e agora* ou *aqui-agora*, como os demais construtos de que estamos falando, são complexas formas de contato por intermédio das quais o encontro se faz possível.

A realidade é aqui e agora, não é delegável nem ao passado nem ao futuro. O que está acontecendo, agora, é o que tinha de acontecer, tanto que está acontecendo.

Aqui e agora, somos espaço e tempo acontecendo. Neste instante, tempo e espaço são nossas dimensões humanas e muitos de nossos problemas são, na verdade, disfunções de nossa percepção que não consegue se conectar com as produções que essas duas dimensões operam no ser humano. Tempo e espaço são co-funções um do outro e o paradoxo consiste em que, atuando conjuntamente, produzam efeitos tão diferentes. Somos, simultaneamente, espaciais e temporais; contudo, em cada um de nós, tempo e espaço funcionam ora separados ora juntos, produzindo processos e, às vezes, sintomas completamente diferentes.

Estar presente no tempo e no espaço ou no tempo-espaço demanda encontros diferentes. Às vezes, o encontro humano pede respostas diretas, sem intermediários, corajosas, comprometidas. O outro, pessoa ou coisa, está sempre presente em nosso campo, às vezes invisível, porém sempre atuante; às vezes, de maneira clara, incisiva, mas com mil subterfúgios, demandando da pessoa humana ou até do meio ambiente respostas para as quais nem sempre se está preparado.

A Gestalt-terapia, como uma terapia do encontro e do contato, preocupa-se pouco com uma psicologia centrada no passado ou preventiva do amanhã. Preocupamo-nos com uma ciência psicológica que encontre respostas reais às demandas do aqui e agora das pessoas, que pare de psicologizar situações e encare a realidade, abrindo caminhos para respostas mais adequadas às situações do mundo moderno.

Nosso cliente, mais que uma teoria, é uma pessoa que mais que de uma hipótese, precisa de soluções. Psicologia clínica e psicoterapia são saberes paralelos. A psicoterapia tem na psicologia clínica sua fundamentação de origem, de base; no entanto, se separa dela e, de algum modo, a transcende, quando deixa de olhar a pessoa humana como partes a serem verificadas, como um sujeito de pesquisa, para vê-la como uma totalidade existente, imersa no aqui e agora, sujeito de dor, de alegria, de esperança, como um fenômeno humano acontecendo e se renovando a cada momento. Isso significa que precisamos pensar campos epistemológicos diferentes para ambos os saberes e ainda temos uma longa caminhada a ser percorrida.

EXPERIÊNCIA IMEDIATA

O construto de experiência imediata permite uma ampla visão de grande parte de nosso trabalho. Experiência imediata é um processo ou uma consciência vivenciada por meio da qual todo o ser está comprometido com seus sistemas cognitivo, sensório-afetivo, motor, levando-nos a um contato pleno e imediato com a experiência interna. Trata-se não apenas de uma consciência cognitiva do que está acontecendo, mas de uma percepção vivenciada de uma experiência corporal.

Experiência imediata é a vivência da totalidade de algo passado, presente ou futuro, que o organismo experiencia, num preciso momento, permitindo à pessoa ler ou reler a sensação presente como uma resposta a uma informação de dentro ou de fora. Não importa o sentido desta, e sim sua percepção corporal.

O fenômeno da experiência imediata nos remete à necessidade de observar e perceber as experiências corporais como respostas a perguntas que talvez cheguem aparentemente por acaso, mas são demandas existenciais por longo tempo buscadas e desejadas. A experiência imediata chega como uma síntese de caminhadas feitas pelo corpo, sem "saber", de fato, por quais caminhos andava e o que procurava. O corpo, entretanto, tem lembranças que a memória esqueceu, ele sempre termina aportando no cais certo, no qual podemos desembarcar levando conosco tudo que o corpo carregou, aparentemente sem saber quando e onde ele deveria atracar.

É nesse grande contexto que podemos pensar a Gestalt-terapia, como um humanismo, calçada no respeito pelo outro, no respeito pelas diferenças, visando ao crescimento amoroso das pessoas, sem perder a objetividade e a imediatez do dado. A função da psicologia, mais que explicar a realidade humana, é fornecer instrumentos que de fato capacitem as pessoas a fazer opções concretas diante das questões reais da existência. A Gestalt-terapia, descendente desta tradição e desta visão do humanismo, trabalha, metodologicamente, para que a relação cliente–terapeuta possua um envolvimento que resulte na mais plena maturidade de ambos.

Não estamos falando de Gestalt e humanismo abstratamente, afinal esse caminho não traz as respostas buscadas pelos clientes como solução prática de suas vidas. As teorias devem sempre se transformar em trilhas que realmente conduzam as pessoas aos caminhos de solução do que as impede de amar e trabalhar com a alegria.

ENERGIA

O construto de *energia* pertence particularmente à Teoria do Campo. Energia não é uma de nossas clássicas palavras. Entra aqui, no entanto, para lembrar ao gestaltista a necessidade de estar inteiro e consciente de seu chamado, para estar nas coisas de maneira viva, de tal modo que seu contato seja instrumento de mudança e de transformação.

Energia é a força da alma, do espírito e do corpo agindo na forma de consciência, de movimento, de emoção. Gestalt-terapia é, assim, comprometimento, engajamento, uma forma de cuidar do outro e não apenas maneira de pensar, humanística e intelectualmente, o agir humano ou a pessoa humana.

Ninguém dá o que não tem, por isso é preciso que o terapeuta esteja consciente do que tem e do que pode, pois ninguém ultrapassa a si mesmo, ainda que nosso apelo interno seja de ultrapassar a nós mesmos, interligando o mundo e nós como forças conjugadas de ação.

Cliente e terapeuta são acionados pela mesma energia de mudança e de cura, embora em níveis diferentes. Ambos querem a mesma coisa, procuram as mesmas estradas e as mesmas soluções. Essa junção energética, esse caminhar juntos, esse querer descobrir juntos, esse estar cúmplices na caminhada, esse quase romper de fronteiras representam a energia do caminho, a energia da mudança, da cura.

Cliente e terapeuta são cúmplices de uma mesma caminhada e na mesma caminhada. Não apenas seguem paralelos, mas olham o mesmo ponto que os atrai, e quando a relação cliente–terapeuta é desmistificada e se torna uma relação pessoa–pessoa o cliente recupera a sensação da própria presença e de ser pessoa.

ESSÊNCIA

O construto de *essência* é o grande apelo para a percepção da totalidade humana. Refiro-me especificamente à essência humana. Tentamos constituir uma definição do ser humano que ultrapasse a pobreza conceitual da clássica definição do ser humano como animal racional. Essa concepção dicotomizada da pessoa humana trouxe, ao longo da história, reflexos e conseqüências desastrosas na educação, na própria psicologia, na arte, na economia e no desenvolvimento da cultura ocidental.

A fim de resgatar a pessoa humana, como uma totalidade significativa, precisamos passar de uma definição metafísica para uma que operacionalize o agir humano, por meio de conceitos que expressem sua propriedade essencial como ser humano, ser que cuida, ser que encontra, ser de contato, ser do mundo.

Não conseguimos entender plenamente quem somos, pois este ser que habita dentro de nós, este ser que somos nós, supõe, retrata e reflete um ser que é constituído, também e necessariamente, pelo fora de nós – o qual, na maioria das vezes, nos escapa e é também parte constitutiva de nossa essência. Se nos é difícil compreender uma flor ou um inseto, de que maneira poderemos compreender o ser humano, sobretudo visto dentro de um contexto maior, isto é, como elo último da cadeia evolutiva? E, no entanto, somos no mundo, do mundo e para o mundo. Somos, obrigatória e essencialmente, relacionais, mundanos.

Nossa essência, freqüentemente reduzida ao *slogan*: "Ser ou não ser, eis a questão", precisa ser repensada. Esse dado implica uma questão maior da existência, implica a essência como totalidade criativa, porque é mediante essa totalidade que damos sentido às coisas. A questão não é ser ou não ser, pois ser já somos, e sim como ser ou não ser, dado que a questão ontológica continua: se somos, podemos ainda não ser?

Neste momento, é nossa intenção pensar o homem como um ser psicológico e não como um ser metafísico. Se pensarmos o homem como numa definição abstrata, separado da realidade na qual está imerso, romperemos o vínculo dinâmico entre ser e estar, o que seria pensar o homem pela ótica da metafísica. A teoria age prepotentemente quando começa a substituir a prática ou agir como se pudesse substituí-la, ou ainda vice-versa, quando a prática se sobrepõe à teoria. A realidade é: como ser e estar homem ao mesmo tempo, pois a inversão ou desconsideração do que é um parâmetro teórico ou prático leva o observador a pensar, sentir e agir num descompasso entre sua realidade interna e a externa.

A essência é a totalidade metafísica do ser. A ela nada pode faltar que lhe constitui o ser, em ato. Ela contém tudo aquilo que necessariamente lhe pertence.

Definindo a pessoa humana como um ser animal-racional-ambiental, não me refiro a três unidades ou a três partes que, somadas umas às outras, constituirão uma totalidade. Cada um desses elementos é uma totalidade que pode ser pensada como tal. Uma não é uma simples propriedade da outra, não decorre da outra, mas cada uma se constitui numa substância com distintas naturezas, que, em ato, numa relação consubstancial, forma uma única natureza, a humana. A consubstancialidade desses três elementos forma, em ato, uma única essência, a essência humana, capaz de existir, de ser compreendida e de agir como tal.

Ao sair de uma definição abstrata do homem como animal racional para defini-lo como animal racional-ambiental, explicitamos um terceiro elemento que, de fato, caracteriza o ser humano como um ser-do-mundo.

Falamos, portanto, de três elementos essenciais que coexistem, formando, juntos, a essência humana, e, no contexto humano, não podem ser pensados separadamente, sob pena de destruir sua unidade interna operativa. Por isso, não é fácil defini-los nem operacionalizá-los em separado, pois os essenciais, em ato, agem numa simultaneidade metafísica absoluta. Nossa tentativa aqui é necessariamente limitada e possui um escopo claramente pedagógico-didático, que é tentar descrever como esses essenciais operam na pessoa humana.

Animalidade

Animalidade é a essência dos animais e envolve tudo aquilo que define e constitui um animal como uma totalidade. O corpo é a expressão visível da evolução estética do processo evolutivo da animalidade. Deste modo, particularizamos o corpo como o princípio ativo que nos permite, como animais, fazer operações significativas e assim organizar nossa vida. Esse princípio ativo, chamado animalidade, manifesta-se por sensações, sentimentos, emoções vividas pelo animal que mora em nós. E é mediante esse princípio que a vida se torna possível do ponto de vista dos instintos e de outras manifestações mais sutis. Talvez, até por isso mesmo, pudéssemos dizer que certos animais são capazes de operações inteligentes, embora não tenham consciência da própria inteligência, o que os distingue, definitivamente, de um animal racional. Essa aproximação nos possibilita compreender de que maneira funciona o processo evolutivo, pois, ao percebermos a evolução de um animal até o ponto de fazer operações inteligentes, entendemos também que a distância entre animal e racional se fez menor, graças a um salto evolutivo mais harmonioso, dotando o animal de certo grau de percepção que supera seu puro instinto.

A animalidade está na base de todas as operações. Somos necessariamente animais, ainda que, infelizmente, tenhamos perdido muito da riqueza que a vivência da animalidade nos poderia trazer. Perdemos muito da qualidade do instinto animal: não vemos, não escutamos, não farejamos como os animais, perdemos sua simplicidade, sua espontaneidade, seu sentido do imediato, perdemos sua capacidade de estar plenamente no aqui e agora e sua habilidade de observação silenciosa do mundo. A observação atenta dos animais, sobretudo sua incrível capacidade de sobrevivência, poderia nos ensinar muito sobre silêncio e espera, sobre fome e saciedade, sobre coragem e risco, sobre paciência e pressa, sobre tenacidade e frustração, situações fundamentais para criar e manter em nós a maestria interna.

Racionalidade
Racionalidade é a essência do ser humano, na medida em que define a pessoa humana. Como seres racionais, sabemos de nossa consciência por meio de operações lógico-formais – das quais o princípio de causa-efeito é um dos elementos fundamentais. Somos sentimentos, emoção, sensações pelas quais o intelecto, enriquecido pelo mundo exterior, funciona como o fio condutor das operações mentais e cognitivas – das quais as dúvidas, opções e decisões são um reflexo imediato. Conjugada à ambientalidade, a animalidade fornece à racionalidade, por intermédio do corpo, os elementos necessários ao seu funcionamento. Esta, por sua vez, conjugada à ambientalidade pelos instintos e sentidos, permite o funcionamento harmonioso dessas três dimensões que, juntas, nos possibilitam a experiência de nossa hominidade.

A racionalidade tem sido a fachada suntuosa da nossa hominidade. Agimos como se animalidade e ambientalidade não existissem ou, mesmo que existissem, não pudessem ajudar em nada. O mundo do pensamento, da reflexão, da lógica constitui o espetacular *show* do mundo moderno. Pesquisadores se debruçam no mundo do pensamento como se de lá pudessem extrair grandes respostas para os problemas da atualidade. Funcionamos como se a animalidade fosse serva da racionalidade, mas, paradoxalmente, parece ser o contrário. Se não damos atenção à animalidade – pois é ali que as coisas nascem –, de nada ou quase nada adiantará a racionalidade se sobrepor à animalidade, o que seria como querer construir um edifício sem prestar atenção a seus alicerces.

Assim, a racionalidade pode atrapalhar mais que ajudar, uma vez que, constituída de uma energia fina, descaracteriza-se com muita facilidade. Egoísmos, mentiras, violências são freqüentemente praticados em nome da mais insensata racionalidade. E como tudo que sobe desce, e tudo que desce sobe, é fácil, com mil justificativas, ver o animal-homem realizando toda sorte de arbitrariedades em nome de uma aparente lógica e racionalidade.

Ambientalidade

Ambientalidade é o terceiro elemento essencial humano por meio do qual nos tornamos, necessariamente, seres de relação, seres no mundo, do mundo e para o mundo. Prestamos pouca atenção a esse essencial, sem nos dar conta de que estamos imersos no ar, no calor, na atmosfera, elementos sem os quais a vida seria impossível. Tal como o peixe que não poderia viver fora d'água, seria igualmente impossível ao ser humano viver sem as condições básicas que o meio ambiente lhe proporciona. A vida corpóreo-mental é fruto do que a ambientalidade nos oferece, pois estamos sujeitos, imediatamente e sempre, à sua influência. O meio ambiente é nosso *habitat* e é por meio dele que conseguimos fazer da existência o *locus* que nos move, que nos nutre e que torna a vida possível e humana.

É importante observar que é com base no essencial ambientalidade que a Gestalt se torna, necessariamente, ecológica. Somos seres no mundo e do mundo, e cuidar do mundo é cuidar de nós mesmos. Cuidar do mundo é cuidar de uma de nossas dimensões básicas. Na maioria das vezes, em nossa relação com o mundo, vemo-nos numa posição dentro e fora; contudo, na realidade, nossa posição real é dentro-fora, uma vez que, seres de encontro e de contato, não sabemos o que é de dentro e o que é de fora ou o que é dentro e o que é fora.

O conceito de ambientalidade implica, obrigatoriamente, não apenas estar atento ao mundo, mas se experienciar como mundo, como do mundo, como pertencente ao mundo, assim como um rio ou uma árvore pertencem ao mundo. Somos do mundo, somos propriedade sua, sem ele nós seríamos impensáveis. Assim, é por intermédio do conceito ambientalidade que a Gestalt-terapia, como expressão harmoniosa de totalidade humana, faz-se, necessariamente, ecológica.

É a partir também desse essencial que nasce a relação da Gestalt com a espiritualidade, vista como encantamento pelo mundo. Quando nos encantamos com uma noite estrelada, com a majestade das montanhas, com a força misteriosa do mar, com a suavidade do canto dos pássaros, estamos, por meio da ambientalidade, encantando-nos conosco, porque somos parte de tudo isso e tudo isso é parte de nós; afinal, somos isso também. Somos terra, somos ar, somos fogo, somos água. Tudo isso é como uma orquestra da qual somos um dos instrumentos, cujas notas, se retiradas, desafinarão toda a melodia. Um constitui o outro e não pode existir ou ser pensado sem o outro. O encantamento é a percepção da totalidade que chega até nós como arte suprema do universo. Estamos, aí, no reino da espiritualidade.

A totalidade precede ontologicamente as partes, por isso estes três elementos – animalidade (corpo), racionalidade (pensamento) e ambientalidade (meio) – se juntam, constituindo uma totalidade essencial, representada pela pessoa humana. Devemos pensar esses três componentes como totalidades e constituí-los numa única essência, sem cair nas armadilhas do mecanicismo, que reafirma a prioridade das partes com relação ao todo. Somos animalidade–racionalidade–ambientalidade, um todo infinitamente harmônico.

Psicologia e humanismo não devem perder a perspectiva dessa visão de totalidade como essência humana. O que não pode acontecer à Gestalt-terapia, que, por sua própria definição, baseia-se nessa visão de totalidade operacionalizada, permitindo-nos afirmar, inclusive, que algumas patologias são disfunções desses elementos essenciais, que, quando operacionalizados separadamente, rompem a unidade operativa do ser humano.

EXISTÊNCIA

O construto de *existência* é um dado com base no qual podemos concretizar e visualizar o conceito essência. A existência e o existir são o configurar-se da essência, uma extensão dinâmica dela. Rosto visível pelo qual a essência se revela, a existência é o ser aqui e agora, acontecendo, em seu contínuo processo de mudança, à busca de um rosto definitivo.

Freqüentemente nos arrastamos à procura da essência das coisas, daquele lugar lá longe que parece esconder o sentido e o significado de todas elas. Paradoxalmente, entretanto, acabamos esquecendo que fluir, ser espontâneo, buscar o prazer, conviver com o risco, procurar o desconhecido e o sucesso são os contornos existenciais atrás dos quais se esconde a essência tão buscada.

Na prática, não importa a discussão de qual vem primeiro, se uma antecede a outra, se a essência ou a existência. Basta, realmente, saber que ambas são diferentes formas energéticas de ação.

Assim como a essência se revela por meio de seus elementos essenciais, igualmente a existência se revela por meio de elementos existenciais, expressão vivida da cotidianidade e dos quais, neste contexto, só se pode falar muito sumariamente.

Temporalidade

O tempo é uma dimensão físico-existencial. Estamos imersos no tempo. Mais que seu coexistente, o espaço, o tempo se constitui numa complexa e angustiante dimensão humana. De algum modo, é ele o fiel da balança de nossas ações, como algo que sentimos que nos é tirado, dia a dia. Não é sem razão que os filósofos são grandes apaixonados do tempo. "Não tenho mais tempo", fatídica frase, diante da qual parecemos imobilizar tudo. Não se é senhor do tempo e, ao contrário, ele pode nos ser tirado a qualquer momento. A sensação de ter tempo é fator determinante da mobilidade humana. Em contraposição, existe um marco lá na frente, a inevitável morte, para a qual caminhamos inexoravelmente e que, por sua vez, é um dos grandes determinantes da angústia humana. Uma das poucas certezas que temos é a de que o tempo não nos pertence – aparentemente ele nem sequer nos é dado –, mas apenas acontecemos nele, como alguém que anda a nosso lado e com o qual o diálogo parece impossível.

Operacionalmente, é possível fazer uma distinção, afirmando que o tempo ou o agora fenomenológico incluem os fatores que seguem. Tempo cronológico (*kronos*), ou tempo duração ou tempo de duração, que se expressa por suas três dimensões – passado, presente e futuro. Essas dimensões se manifestam por intermédio das modalidades do que chamamos de tempo vivido (*kairós*) ou *experiência interna do tempo*. Experiência que, por sua vez, pode se expressar como: *tempo experimental*, aquilo que acontece neste meu tempo; *tempo experiencial*, que é como experencio o que está acontecendo agora; *tempo existencial*, que representa a sensação do para que experencio esse meu tempo agora; e *tempo transcendental*, que é quando essas três categorias se fundem e aí se perdem. Esse é um tempo sem tempo, um tempo que transcende a ele mesmo, um tempo no qual o estar consciente da experiência vivida agora preenche todo o ser ou dá à pessoa a sensação de plenitude.

Temporalidade é a sensação da experiência vivida do tempo. A experiência interna do tempo vivido torna sentida a sensação de temporalidade real e permite ao sujeito se locomover melhor entre o tempo e o espaço. Essa dimensão, como tal, nos escapa, permitindo-nos simplesmente ser e nos mover. Vivemos o tempo como duração, como um período a ser vivido que diminui dia a dia. Falta-nos a reflexão do que esse período representa para nós, e somente essa reflexão poderá dar ou restituir ao homem a sensação de que ele é senhor e não servo do tempo.

O tempo afeta a vida dos mais diversos modos, sendo fator de medo, de coragem, de esperança e de desespero. Somos controlados silenciosamente pelo tempo. Somos e nos movemos nele. Ele é só pergunta, jamais resposta, não sabemos se estaremos vivos no próximo minuto. Angústia e tempo, eis um dos mais perturbadores binômios. Algumas patologias estão relacionadas à sensação de não controlar o tempo. Acredito que a vivência tranqüila do tempo aqui-agora, a sensação de uma plenitude antecipada ou de uma experiência de paz com nossos desejos, talvez seja a única coisa que possa nos livrar da agonia do tempo.

Espacialidade

O *espaço* é também uma dimensão físico-existencial. Ele, mais que o tempo, dá às pessoas a sensação de existente. O espaço enraíza as pessoas, ao passo que o tempo as expande, aumenta suas copas. A sensação da experiência do espaço vivido dá dimensão às pessoas, sobretudo lhes fazendo sentir corporais. A função da experiência vivida do espaço é dar às pessoas a sensação e a certeza de que elas existem, de que elas têm corpo. Enquanto o tempo amplia a dimensão espiritual da pessoa, o espaço lhe dá a sensação de corporeidade, de materialidade, pois o corpo é o primeiro espaço vivido e é da sensação do corpo que nasce qualquer sensação do espaço vivido.

Didaticamente, podemos dizer que esse espaço físico-existencial constitui nosso Espaço Vital Fenomenológico, incluindo os campos geobiológico, psicoemocional, socioambiental e sacrotranscendental – dimensões nas quais o encontro humano com o espaço cria complexas formas de contato.

Esses campos funcionam como níveis de passagem, sucedendo-se um ao outro a partir da necessidade que o sujeito cria entre ele e seu campo, naquele dado momento. Às vezes, é difícil distinguir um campo do outro, porque a separação pessoa–meio existe somente para dar maior compreensão ao vivido, uma vez que, na realidade, pessoa e meio são um único evento, um único acontecimento no campo. Apenas didaticamente ou por abstração se poderia pensar uma pessoa sem ou fora do campo.

As noções de espaço, campo e espaço vital possuem uma linha que une essas três dimensões espaciais. Espaço é mais amplo que campo e campo mais amplo que espaço vital. Os três, entretanto, indicam situações nas quais a experiência do corpo pode ser sentida pela pessoa com diferentes sutilezas.

A psicologia entende ou fala pouco do que é espaço, do que é espacialidade e das leis que regem a relação entre pessoa e espaço. A pessoa isolada, quase uma abstração, tem sido o grande e quase único objeto de observação da psicologia. Entretanto, pessoa e espaço são figura e fundo de uma única e grande realidade. No bojo do tema espacialidade, reside a questão da ecologia interna que rege muitas das relações pessoa–mundo. A experiência vivida do espaço está muito relacionada com o sentimento da própria existência, pois essa sensação permite à pessoa se localizar mais facilmente como real e existente.

Tempo e espaço são duas das principais dimensões humanas que têm sido objeto de complexos estudos nas mais variadas áreas das ciências humanas e físicas. Estamos, aqui, relacionando temporalidade e espacialidade com grandes questões da psicologia, do humanismo e da Gestalt. Tudo dentro de uma perspectiva ética, de cidadania e de ecologia humana, porque também esses são alguns dos novos rumos que apontam sinais dos novos tempos que as psicoterapias não podem ignorar.

Liberdade

Liberdade, máxima propriedade do ser humano. Inclui ser e sentir-se livre diante de um horizonte que nos atrai, que faz apelo à compreensão, à sensação, ao movimento. Supõe sempre um momento de ampliação da consciência.

Inclui sentir-se indo e vindo, parando e andando, fazendo e deixando de fazer, ultrapassando uma intuição racional, algo experienciado mediante uma sensação vivida e consciente. Somos seres em relação, por isso a liberdade supõe sempre a existência do outro, mas, ao mesmo tempo, sem perder essa perspectiva, movimenta-se na direção de si mesma, daí nascendo o sentido do relacionar-se com o outro.

Liberdade é fator fundamental na estruturação e na manutenção do sentido de personalidade, na medida em que permite ao sujeito se sentir existente, fluindo e criando possibilidades. Sua ausência, ou pior, a negação da liberdade, aprisiona, amarra o sujeito onde ele está, pois só lhe resta se defender, gastando para isso uma energia que poderia dar à sua vida uma orientação completamente diferente.

A psicologia pouco tem contribuído como uma ciência libertadora e, de fato, compromissada com os problemas do ser humano. Tem, simplesmente, pensado a natureza humana e nela a liberdade, sem adentrar na solução dos reais problemas que afligem o homem moderno, fechando os olhos à escravidão espiritual, mental, social e física a que as pessoas se entregam, muitas vezes, por falta de opção.

É difícil pensar em cidadania, em ética como processo libertador, se a psicologia, como instrumento de compreensão do comportamento humano, permanece parada, encastelada em academias e em pesquisas que, às vezes, não levam a lugar nenhum. Cria verdadeiros guetos de um aparente saber, vendo o trem da vida passar, enquanto se entrega a uma contemplação estéril e narcisística de que só ela sabe interpretar o que acontece, perdendo o grande contexto de pensar o homem, de fato, como mundano, como do mundo.

Não é de estranhar que as psicoterapias, que são verdadeiras personologias, para usar a expressão de Smuts, saibam mais do homem, falem mais do homem, sintam mais do homem que a psicologia acadêmica. Como conseqüência imediata desse fato, em alguns países, não se exige mais dos psicoterapeutas que sejam psicólogos.

Responsabilidade

Responsabilidade é um existencial que inclui um movimento de adequação consciente à realidade diante das possibilidades concretas com que nos deparamos.

Supõe uma visão da existência do outro como ser de direito e deveres no mundo, e uma visão real de si mesmo como ser destinado ao encontro, à relação que frutifica e constrói.

Responsabilidade é a capacidade de se encontrar com o outro na diferença, é incluir-se na existência do outro no sentido de serem dois em uma só alma, é cuidar de si no outro e com o outro, num intercâmbio de existências à procura de uma essência comum.

"Tudo que desce sobe." O tempo da espera é o tempo que antecede a criação. Descer nada tem que ver com o momento da subida, mas com o mergulhar na própria realidade, com a observação cuidadosa dos próprios limites, com descer degraus da própria convicção a fim de colher, no mais íntimo de si mesmo, razões para acreditar que se é um ser de possibilidades. Assim, somente quando uma árvore desce e aprofunda suas raízes, sua copa pode crescer e enfrentar os ventos fortes. Se uma árvore não aprofunda suas raízes, ao primeiro vendaval, agitada pelo vento forte, sua copa a arranca do chão. Responsabilidade dá sustentação aos projetos humanos, assim como as raízes das árvores sustentam sua copa e permitem que seja agitada pelos ventos sem que sofra dano algum.

Uma das grandes competências e deveres nesse processo de humanização e neste momento de globalização mundial é despertar a pessoa para uma consciência engajada da responsabilidade no processo do outro e do cosmo. Humanizar a psicologia é chamá-la em causa e responsabilizá-la por esse processo que ela não pode delegar a ninguém.

Subjetividade

Subjetividade é um dos conceitos da moda e é tão subjetivo quanto a própria subjetividade, uma vez que supõe uma consciência ou uma certa consciência da própria identidade. Supõe, ainda, um encontro com o sentido que atribuo à minha própria individualidade, sem perder a perspectiva de que o outro me percebe a partir dele, como eu o percebo a partir de mim mesmo. Aqui, psicologia e Gestalt-terapia voltam a ser fenomenológicas, uma vez que vêem o sujeito a partir dele mesmo como sua própria e única fonte de informação. Sem o resgate do sujeito, nenhum tipo de informação se torna fidedigno, afinal ele é sua melhor fonte de informação.

Subjetividade supõe um olhar consciente, reflexivo e constante para dentro de si, por meio do qual o mundo fora do sujeito passa a existir como uma extensão consciente dele próprio. Dando significado às coisas fora dele, essa coisa passa a ser algo para ele, pois o existir dela implica a percepção do que é diferente para ele.

As coisas não têm sentido em si ou por si mesmas. É no encontro das diferenças que o sentido acontece. O sentido é a apreensão da diferença de duas coisas em recíproca relação. Não é imposto, mas é fruto do encontro de nossa subjetividade com aquele outro lado chamado ambientalidade, que é o lugar onde as diferenças se encontram e se reconhecem.

É preciso entender que somos parte da natureza mundana do universo e que este é parte integrante e constitutiva do ser, e que só por abstração é possível pensar em subjetividade como algo que começa, porém não termina, no sujeito. Sem essa reflexão, não poderemos falar em psicologia, ética, cidadania e psicoterapia como fenômenos de resgate da subjetividade, porque ética e cidadania são reflexo da nossa subjetividade projetada no mundo à nossa volta, numa comunalidade fruto de uma produção amorosa e essencial da nossa recíproca relação com o mundo.

Escolha (intencionalidade)

Escolher é talvez o ato mais transformador do processo de existir. É o mágico momento em que a essência do sujeito encontra sentido na existência do objeto, isto é, a parte se reconhece no todo procurado, desejado, ou o todo se reconhece, como presente, na parte procurada, desejada. A pessoa humana não pode não escolher. Ela escolhe sempre, porque, mutante por essência, transforma a existência num eterno ato de procura, no qual as alianças do sim e do não desembocam na incansável disputa entre certeza e verdade, daí nascendo toda a complexidade do querer, do agir, do decidir, do fazer opção.

Escolher é permitir o encontro de todos os elementos, de todos os existentes disponíveis, que, juntos, transportam a consciência para um encontro com a totalidade, a partir da qual a escolha se faz possível.

O medo, a incerteza, a insegurança, a rotina, a violência institucionalizada, sob as mais diversas formas, têm impedido a pessoa de fazer verdadeiras escolhas, e, quando somos impedidos de escolher, perdemos o verdadeiro sentido do humano.

A *escolha* é um ato de decisão e as decisões são tomadas ao percebermos a totalidade das razões que conduzem as motivações a tornar evidentes as necessidades. Às vezes, vemos claramente quais são essas necessidades; contudo, as motivações para satisfazê-las não conseguem se impor em função do medo de que as situações novas não compensem os riscos da mudança. Em alguns casos, as escolhas exigem um tempo de espera, a fim de que as sementes, apenas lançadas à terra, encontrem tempo para germinar. O tempo da germinação é particularmente difícil, uma vez que, para a semente germinar, não basta ser lançada à terra, mas é preciso ainda calor e umidade, sol e chuva. O tempo da germinação termina quando o sentido das coisas deixa de ser um aprendizado cognitivo para se transformar num apelo do coração. Neste momento, sentido e coragem dão-se as mãos e a pessoa se torna uma presença a ser olhada com respeito pelo mundo. A pessoa volta a se sentir de posse do poder de escolha, pois os riscos e os medos de considerar ou priorizar necessidades perderam sua antiga força e passam a ser agora testemunhos atentos de seu processo de mudança.

CONCLUSÃO

A PSICOLOGIA NÃO PODE ficar encastelada nos muros da ciência, a olhar pela janela da mais alta torre seu sujeito se perdendo nos meandros da incerteza e da dúvida, permitindo que sua existência se transforme num labirinto do qual ele perdeu a esperança de sair vivo. A Gestalt-terapia está, certamente, do outro lado.

O humanismo, por sua vez, não diz respeito apenas ao homem, mas à natureza como um todo, na medida em que é uma proposta de experienciar o outro, pessoa e meio, como explicitação da harmonia que existe entre eles, de tal modo que essa conjunção de ambos recupere o sentido de serem co-relacionais.

O humanismo, *como movimento*, cria uma ideologia, uma proposta diferente de estar no mundo; *como processo*, indica caminhos reais de como as pessoas podem, de fato, se encontrar; *como estado*, facilita a compreensão do que significa fazer contato, criar uma consciência no caminho da auto-regulação própria e do ambiente. A Gestalt-terapia está desse lado.

O mundo absorve o homem e, amiúde, o despersonaliza, fazendo de conta que ele não existe. No entanto, o mundo é organizado pelo homem, num complexo processo em que ciência, técnica e arte, cada uma a seu modo, imbricam-se na procura da própria totalidade, compondo a harmonia holística das subtotalidades organizativas do universo dos homens e das coisas.

O homem vive essa ordem universal numa integração harmoniosa e auto-reguladora, e não como uma alienação histórica, cultural, orgânica – embora pareça ser esta, às vezes, a ordenação mundial.

A Gestalt-terapia, como um humanismo, é proposta de libertação e de liberação do homem das teias que o algemam a ele mesmo e à realidade que o cerca. O humanismo, como uma Gestalt vivenciada, é proposta de uma caminhada interior que transcenda sua própria realidade terrena, sem perder as raízes que lhe permitem, igual a uma árvore de grande copa, abrigar a humanidade sofrida de quantos procurem nela um pouco de sombra e descanso.

A Gestalt-terapia espelha o que de melhor ensina o humanismo e o que de mais revolucionário apresenta a psicologia hoje, como um sistema de acolhimento da pessoa humana, como uma arte que permite à pessoa humana se expressar a partir de si com toda a liberdade, como uma técnica que consagra o desenvolvimento humano qual uma caminhada para a compreensão amorosa da própria totalidade, tornando-se, assim, uma metateoria do compreender, do sentir e do movimentar a pessoa humana na direção de seu completar-se plenamente.

Essa proposta apresenta uma caminhada que vai além do rotineiro na abordagem gestáltica; uma reflexão que, em seu conjunto, pretende mostrar a Gestalt como um sistema integrado do sentir, do pensar, do fazer e do falar. Propomos uma epistemologia do que entendemos por psicoterapia, e que justifique a pretensão teórica da Gestalt de ser uma abordagem científica, uma técnica e uma arte, um jeito de ser e de conceber a realidade, a vida e a pessoa, ligada, necessariamente, ao universo, de tal modo que, em uma só caminhada, nossos passos e os do universo cheguem amorosamente ao mesmo lugar: a pessoa humana.

parte 2
Conceitos básicos

AUTO-REGULAÇÃO ORGANÍSMICA

A LEI DA INTERDEPENDÊNCIA de todas as coisas é a máxima lei da auto-equilibração do universo e é dessa interdependência necessária que nascem todas as suas possibilidades. É o necessário viabilizando o possível. A impermanência de todas as coisas pede a interdependência de todas elas. Impermanência e interdependência são as paralelas cósmicas por meio das quais o universo segue sua caminhada evolutiva. *Da relação absoluta e necessária entre impermanência e interdependência, nasce o grande instinto do universo, o macroinstinto de auto-regulação organísmica, e é no bojo deste macroinstinto que todos os seres tendem a se auto-regular – considerando que a filogênese repete a ontogênese.* Referimo-nos a um instinto cósmico que, na lei da evolução, gera o instinto humano de auto-regular-se, a partir do grande princípio ontológico de que o ser não pode negar-se a si mesmo, gerando uma cumplicidade, que poderia ser definida como intencional, com e entre todos os seres: o instinto de auto-preservação, ou seja, tudo que nasceu nasceu para viver. *Tentamos mostrar que precisamos abandonar concepções pequenas e fragmentadas que se aplicam apenas a este homem, aqui, para ver que tudo, no indivíduo, tem seu similar no universo, e que fazer Gestalt é recuperar a perspectiva cósmica de que somente a totalidade contém a explicação das partes.* Nenhum ser se auto-regula sozinho ou a partir de si mesmo e, embora se diga auto-regulação, todos os seres se auto-regulam no mundo e por meio dele, pois, quando nada, o ar que respiramos nos vem de fora.

O instrumento de manutenção da vida é a auto-regulação do organismo no mundo e a partir dele. Por intermédio dos comportamentos moleculares e molares, cada ser se auto-regula conforme a necessidade do próprio organismo, aqui e agora. O corpo possui uma sabedoria que a mente não tem. *Ele segue sempre a lei da preferência, sem pedir licença para acontecer, mas simplesmente acontecendo, fazendo, de suas necessidades, a cada instante, a realização de sua auto-regulação.* O corpo sabe o que é bom para ele e o que não é; assim, ele não compactua com a mentira organísmica e vai respondendo em forma de sintoma ou saúde às manifestações que a mente lhe impõe. Sem tergiversar, o corpo apresenta aquilo de que precisa para um funcionamento adequado e um equilíbrio estável; entretanto, estamos acostumados a ver nossos corpos desrespeitados ou a desrespeitá-los, obrigando-os a funcionar com uma sobrecarga física, emocional e espiritual. Por vezes impotente, ele se curva ao jugo do intelecto, deixando a resposta para muito depois em forma de doenças psicossomáticas; por outras, ao contrário responde na hora, negando-se a se envolver com situações em que a pessoa, como um todo, será a grande prejudicada.

O conceito de auto-regulação está intimamente ligado aos conceitos de figura–fundo e parte–todo, como fenômenos que confrontam a relação de totalidade organísmica no mundo. *Auto-regular-se significa respeitar a totalidade funcional do organismo, significa olhar-se e comportar-se como um todo organizado e eficiente, significa privilegiar as necessidades que gritam dentro de nós para ser saciadas ou satisfeitas, significa olhar-se como uma pessoa inteira no mundo, significa amar o corpo como a casa na qual habitamos, significa prestar atenção aos infinitos pedidos de socorro que o corpo emite e pensar que o alimento pode ser encontrado, sempre, dentro da própria pessoa, sem perder seu aspecto relacional no mundo.*

Somos biopsicossocioespirituais e auto-regular-se é não perder a perspectiva dessa quádrupla dimensão humana. Cada uma dessas dimensões tem necessidades próprias, que, embora, juntas, formam um sistema auto-regulador que distribui os diversos apelos ou necessidades organísmicas, de tal modo que, num comportamento vicário, organicamente inteligente, o sistema mais saudável tenta satisfazer um menos saudável, para que o organismo, como um todo, possa funcionar a contento. *É o que chamamos função holística dos sistemas.* Temos de recordar que, às vezes, a própria doença é uma forma precária de auto-regulação e também o caminho que o organismo encontrou para se proteger de um mal maior. As árvores, quando não conseguem o alimento de que precisam, escolhem os galhos que devem morrer a fim de sobrar alimento aos que ainda estão mais saudáveis. Trata-se de uma inteligência organísmica e cósmica que as árvores possuem para que o processo de sobrevivência evolutiva possa continuar.

A TEORIA. Falamos em auto-regulação organísmica ou porque isso é próprio do organismo, ou então porque algo no organismo não está regulado, está descompassado da totalidade, a pedir ajuda, ou ainda como algo preventivo. Um organismo se desregula quando se exigem dele força e habilidades para as quais não está preparado. Trata-se de uma violência a seus limites. Às vezes, a relação mente–corpo não percebe essa conexão. É o caso do estresse inconsciente, que não é necessariamente produzido por um trabalho específico, mas por circunstâncias que escapam ao controle cognitivo da pessoa. O mundo da eletrônica, da robótica, da velocidade e das luzes obriga as pessoas a um constante movimento de auto-regulação. Todas as ocasiões em que a realidade ultrapassa a capacidade de responder a seus estímulos, sejam eles quais forem, psicológicos ou não, o organismo apela à sua capacidade de auto-regulação, sob pena de, na tentativa de um mal menor, propor uma saída de equilíbrio instável. Os conceitos de *ajustamento criativo*, awareness, *contato, cuidado, campo, fronteira de contato, necessidade*, e *totalidade* podem nos ajudar a trabalhar as dificuldades de **auto-regulação**.

A CLÍNICA. O processo corporal de auto-regulação freqüentemente passa despercebido à consciência intelelectiva, pois o organismo se auto-regula, instintivamente, a todo instante. Não prestamos atenção ao ar que respiramos, às batidas do coração, até que um tipo de emoção diferente nos invada. Adoecemos porque não nos tornamos presentes a nós mesmos. Agimos com um eterno "deixar para depois", sempre na expectativa de que o organismo terminará por resolver uma situação que não conseguimos compreender. A deflexão é a inimiga número um da auto-regulação. O não prestar atenção, o não estar presente a si mesmo e o fazer de conta são formas habituais de cortar contato, de desregular o organismo. Problemas mentais retratam necessidades não atendidas, retratam uma violência silenciosa dentro do espaço vital e, sobretudo, um não se dar conta de que o organismo não pode ultrapassar a si mesmo. O organismo, apesar de sua perfeição, não é divino, é humano e ser humano é, especialmente, tratar-se com respeito e reverência.

AGRESSIVIDADE

AGRESSIVIDADE, AGRESSÃO, agredir são aspectos de uma mesma realidade, co-participada, cotidianamente, pelo ser humano. *Agressividade é um processo humano, inato, que provoca na pessoa uma complexa sensação de expansão, de ir além de si mesma, de correr riscos, de ampliar limites, de terminar o começado. É um instinto a favor da vida que mora em cada um de nós, trabalhando em dois níveis: um silencioso, interno, que cuida da energia de auto-realização, provocando o organismo a atualizar-se a cada instante; e outro, externo, atento a responder aos estímulos que vêm de fora e possam ser ameaçadores do equilíbrio da pessoa.*

Agredir é um gesto entre duas pessoas ou coisas em que um dirige ao outro sua força e sua energia no sentido de dominá-lo, pará-lo, causar-lhe algum tipo de dificuldade. Às vezes, é uma resposta e, outras, um impulso com certo nível de consciência. Agressão soa como um gesto em que uma de duas pessoas ou as duas ultrapassam os limites da normal convivência para atacar ou se defender da outra. Ambos, porém, agredir e agressão, podem ser um gesto da pessoa com relação a ela mesma. A comida ou a bebida em excesso, a fome, o dormir tarde, o viver sedentário podem ser formas danosas de agressão ao organismo. As relações entre parte e todo e totalidade, como formas ignoradas da relação pessoa–ambiente, estão na base da atitude de agredir ou agredir-se, bem como da agressão. *A agressão a si ou a outrem surge diante de um sentimento de invasão da própria intimidade, privacidade, singularidade, totalidade, na qual parece que a lógica relacional não é suficiente para controlar a situação.*

A agressividade está na origem tanto do agredir quanto da agressão, enquanto sentimento e emoção que se revelam por intermédio da agressão e do agredir. A agressividade, entretanto, tem algo de existencial, de sentido de vida, na medida em que expressa um momento de autopreservação, uma tentativa de auto-regulação organísmica ou de ajustamento criativo. É um instinto pela vida, a favor da vida. Viver é conviver com o diferente; assim, o processo de assimilação e, mais ainda, o de metabolização do diferente demandam uma energia e uma força para domá-lo e assimilá-lo. Falar de agressividade não é o mesmo que falar de uma pessoa agressiva. Agressividade é um processo que visa instrumentalizar e regular as relações de pessoas ou coisas diferentes entre si, e está, quase sempre, associada ao medo, à baixa auto-estima, à desesperança e, sobretudo, à necessidade de se respeitar ou ser respeitado. *Como algo que existe em alguém e é um dos fatores de estruturação da personalidade humana, a agressividade é,* a priori, *um bem da natureza.* Comer, trabalhar, fazer amor e quase todas as formas de esporte são expressões da força da agressividade, um instinto humano que trabalha no sentido de tornar a vida e a existência possíveis e prazerosas.

Agressividade é um movimento interno de centragem e externo de equalização, pelo qual o organismo procura, decididamente, seu alimento, sua sustentação. Traz uma sensação de poder, de ir para a frente, de se possuir como uma totalidade, de estar em campo aberto, atento às forças perturbadoras ou até destruidoras do ambiente. *Agressividade é um processo, às vezes inconsciente, outras consciente, do organismo à busca de sua plena realização. E porque a agressividade é tão natural à natureza humana, o ser humano, na ânsia de se manter e se sentir inteiro, parte para agredir e para a agressão como formas de autopreservar-se, como forma de se manter vivo.* Mansidão e agressividade são dois lados da mesma moeda: a vida. *Não existe instinto de morte, pois isso seria uma contradictio in terminis, ou seja, um processo corporal autoimune irreversível, uma vez que tudo que nasceu o fez para viver, e não se pode pensar a natureza humana e especificamente o corpo humano tentando dar cabo de si mesmo.* Quando optamos por situações de risco, não estamos, necessária e inconscientemente, desejando a morte, mas sim, e talvez muitas vezes, o prazer do risco que implica experienciar o instinto de vida, do qual a agressividade é seu principal fiador. É importante avaliar se a agressividade está inserida positivamente no contexto atual de nossas preocupações, para que as decisões, quiçá aquelas que demandam mais coragem, sejam fruto de um ajustamento criativo e não de impulsos, aparentemente, auto-reguladores.

A TEORIA. As agressividades interna e externa são naturais ao ser humano. O próprio organismo tem processos internos de auto-regulação que implicam perdas e ganhos. Comer, mastigar, defecar implicam mudanças orgânicas que exigem do organismo uma energia de agressividade, na medida em que promovem transformações físico-químicas na matéria orgânica. A agressividade deve ser considerada um fator de equilibração organísmica, tanto em processos internos quanto externos, pois existem uma agressividade autodestrutiva e uma heterodestrutiva, e esta última ocorre todas as vezes que ultrapassamos os limites de nossas possibilidades. A agressividade ocorre tanto no nível cognitivo, como no afetivo-emocional e no motor.

No afetivo-emocional, ela ocorre quando nos agredimos e ao mundo à nossa volta, por perdermos a perspectiva de nossas possibilidades e por não sabermos compartilhar com ele nossas necessidades frente às exigências dos outros.

No motor, ela ocorre quando, respeitando nossos limites, obrigamos o organismo a uma carga de trabalho ou elaborações para as quais ele não está preparado.

No cognitivo, ela ocorre quando perdemos a perspectiva relacional do aqui-agora, da parte–todo, da figura–fundo, permitindo que os sentidos das coisas – ou, em última instância, nossos desejos – perca a evidência da realidade.

Os conceitos de *ajustamento criativo*, awareness, *cuidado, diálogo, necessidade, polaridade, presença* e *relação complementar* podem nos ajudar a lidar com situações em que a agressividade está em causa.

A CLÍNICA. Adoecemos quando usamos mal o instinto de agressividade. A depressão, por exemplo, é uma típica situação de perda da agressividade diante das dificuldades que o mundo nos apresenta e diante das quais perdemos a capacidade de reagir. Alguns dos bloqueios do contato, sobretudo deflexão, confluência e introjeção, são também situações clássicas de perda da agressividade, ao mesmo tempo que a projeção, se acentuada, implica o uso indevido da agressividade. Acredito que ajudaria muito ao nosso cliente na recuperação de sua agressividade positiva se trabalhássemos o que para ele significa presença, diálogo e necessidades pessoais como forma reflexiva de ajustamento criativo. Quando um cliente nos procura, é possível que, já de algum tempo, tenha perdido sua capacidade de decidir, de querer, de saber o que é bom para ele. Provavelmente, esteja vivendo um equilíbrio instável, fruto de uma sensação de impotência, que o aprisiona, imobiliza e tira-lhe a esperança, porque já não consegue caminhar com o movimento da própria agressividade. Esse sentimento de impotência não nasce da falta de um direcionamento adequado de sua agressividade sobre o mundo, mas sim da sensação contínua de que nada do que for feito mudará a realidade em que está mergulhado.

Nestes casos, é importante trabalhar com o cliente suas verdadeiras demandas, pois, freqüentemente, a agressividade se traduz em comportamentos e sintomas manifestados tanto pela impotência da não realização das necessidades pessoais, quanto pela repressão da raiva contida, expressando-se por intermédio de doenças que escondem falsos problemas e não podem ser desprezados, mas que não devem ser o objeto principal da atenção do terapeuta.

AJUSTAMENTO CRIATIVO

Estamos no campo organismo–meio. Estamos no campo corpo–pessoa, como organismo no mundo. Do mesmo modo como não se pode pensar um peixe fora d'água, também não se pode pensar a pessoa fora do meio ambiente, porque seria pensar abstratamente. Assim, só podemos pensar a pessoa humana como, necessariamente, um ser de relação, e é na relação consigo e com o outro que o ajustamento se faz. *Ajustamento criativo é o processo pelo qual o corpo–pessoa, usando sua espontaneidade instintiva, encontra em si, no meio ambiente ou em ambos soluções disponíveis, às vezes aparentemente não claras, de se auto-regular.* Às vezes, trata-se de um processo natural, instintivo à sabedoria do organismo; em outras, o organismo precisa se instrumentalizar para que o processo de ajustamento se faça. Somos sempre afetados por variáveis psicológicas, como emoções, sentimentos, afetos, e por variáveis não-psicológicas, como a altura, o calor, o tamanho, o peso.

Estamos sempre num campo, sendo nós mesmos um campo, e é nessa relação de campos e entre campos que tudo acontece. Estamos sempre numa relação parte–todo, figura–fundo, dentro–fora, na qual o organismo acontece como um todo. Estar saudável é estar atento a esse processo, enquanto a doença é a ruptura dessa relação orgânica e natural. Não teríamos condição de nos ajustar, se isso dependesse exclusivamente de um ato formal de nossa vontade. O corpo–pessoa está permanentemente se auto-ajustando, criativamente. *Ajustar-se significa usar soluções antigas, presentes e disponíveis no organismo, buscar novas ou permitir ao organismo encontrá-las no contato corpo–meio ambiente, para que o viver seja funcional e viável.*

Doenças físicas e mentais são, muitas vezes, formas desesperadas de ajustamento criativo, como uma linguagem que, por meio da dor, consegue se fazer ouvir, pois o intelecto já não encontra resposta adequada a suas demandas. Esse ajustamento criativo ocorre em duas situações distintas. Em uma, dentro do próprio organismo, este se utiliza de seus próprios recursos para se equilibrar, o que Smuts chama de centragem; na outra situação, o organismo usa de recursos externos – por exemplo, água para matar a sede, para se auto-ajustar –, o que Smuts chama de equalização. No primeiro caso, centragem, o organismo age como um todo. Cada parte do todo assume as necessidades da parte necessitada, seja ela física seja mental, e, em grupo, fazem o organismo se recuperar. No segundo caso, equalização, o organismo percebe suas necessidades primárias e secundárias, e distingue o que deve ser discriminado do que tem uso geral, selecionando, por um processo de auto e reflexa consciência corporal, aquilo de que ele necessita no mundo para se auto-regular criativamente. Esses dois processos são naturais ao organismo, que está preparado para funcionar de tal modo que nossas necessidades sejam satisfeitas com o menor esforço possível – por isso adoecer significa forçar o organismo a procurar nele ou fora dele uma energia e uma tarefa que estão além de suas possibilidades.

O organismo sofre com a dor física, com a dor mental e com nossa incompetência em solucionar problemas, pois existe, em todo ser vivo, um mecanismo inato de auto-ajustamento a si e ao mundo sempre que o equilíbrio corpo–mente se rompe. Adoecer é estar em oposição a essa tarefa natural do organismo. *Às vezes, é verdade, a pessoa perde, momentaneamente, a capacidade de descobrir o que nela está adoecido, apesar de todos os sinais que o corpo lhe dá. O organismo, entretanto, só adoece quando o corpo se cansou de oferecer soluções não acatadas. Por vezes, conscientemente não acatadas.* Somos uma divina síntese de "todos" (*gestalten*), interagindo na mais absoluta harmonia, formando nosso self, nosso em-si-mesmo corporal, social e espiritual que se distribui em nós por meio de seus sistemas de ajustamento criativo: o id, o ego e a personalidade. O self é uma estrutura processual, guardiã permanente dessa harmonia interna, que, criativa e espontaneamente, se auto-regula, se auto-ajusta. *Clinicamente, quando estamos diante de uma pessoa doente, com distúrbios em seu auto-ajustamento interno organísmico ou em sua relação pessoa–mundo, é o self, sistema permanente de contatos e de crescimento, que dita as primeiras saídas de possíveis soluções.* Como uma propriedade síntese do corpo–mente, ele sabe do que o organismo precisa para se auto-ajustar criativamente. Por isso, pode-se dizer que o self é uma entidade do aparelho mental, uma propriedade da alma, de processos imateriais, assim como o coração é uma entidade do aparelho físico-corporal, tendo o self e o coração o mesmo grau de realidade, de eficácia, de coisidade, só que um na esfera imaterial e o outro na esfera material.

A TEORIA. Viver exige um ajustamento criativo permanente. Smuts diz que temos um único instinto, o de autopreservação, isto é, tudo que nasceu o fez para continuar vivendo. Esse instinto geral cobre as necessidades de toda a natureza vivente, e, desse instinto, seguindo a lógica do processo evolutivo, emanam os outros, sendo o primeiro deles o instinto de auto-atualização. Dele emanam também os processos de diferenciação em gênero e diferença específica por meio dos quais as coisas se distinguem umas das outras. É exatamente o processo de ajustamento criativo que mantém as coisas diferentes umas das outras. Adoecemos quando tratamos como iguais coisas ou funções diferentes. Ajustar-se é a máxima função distributiva do organismo, ou seja, o organismo, como um todo, está sempre de olho em cada uma de suas partes, cuidando para que nada falte a elas que as impeça de funcionar com perfeição. Ajustar-se não é consertar o que funciona mal, mas adequar-se a cada parte ou função do corpo–pessoa, pois sem isso o terapeuta não poderá ajustar-se com seu cliente, nem a seu cliente. Aqui, os conceitos de *aqui-agora*, awareness, *experimento*, *ipseidade*, *mudança paradoxal*, *necessidade* e *parte–todo* poderão, entre outros, ajudar o terapeuta com alguns de seus instrumentos de mudança.

A CLÍNICA. O ajustamento criativo é a mais importante função de prevenção primária do organismo. Ajusta-se instintivamente, não espera para funcionar. Ajustar-se é um instinto natural do organismo no meio e do meio. Em sua prevenção secundária, o organismo interfere quando alguma de suas partes está pedindo socorro. Em sua função terciária, o organismo já está diante da doença, afinal sua capacidade de controle sempre pode sair dos limites e ele não conseguir se ajustar a tempo. E é aí que as ajudas psicoterapêutica e medicamentosa se fazem necessárias. Cliente e psicoterapeuta têm de estar ajustados criativamente em si e entre si. É preciso que, de um lado, o psicoterapeuta esteja atento às suas demandas internas e externas, que não perca seu centro de contato referencial, que acredite em sua capacidade de intuição, que esteja atento a seu corpo como um todo, porque, quando o terapeuta se perde como ponto de referência para si, ele já não consegue adequar-se ao cliente. E, de outro lado, o cliente precisa aprender a estar atento a suas necessidades imediatas, tentar perceber o mundo como um parceiro, acreditar em suas possibilidades, aprender a perceber que o risco da mudança vale a esperança de um viver mais prazeroso. Deste modo, cliente e terapeuta se tornam cúmplices de um mesmo processo: encontrar o sentido da própria vida por intermédio da vida do outro.

AQUI-AGORA – AQUI E AGORA

Estamos habituados a um permanente dualismo. Parece até que não conseguimos pensar a realidade a não ser dividindo. Dentro e fora, alma e corpo, clássicas dicotomias. Perdemos com isso a magia da totalidade, pois o dualismo privilegia a parte sobre o todo, perdendo também a riqueza do encontro de existenciais que unem todos os seres e lhes dão um sentido de relação. *Podemos, no entanto, falar de dualidade porque ela não rompe, necessariamente, a relação intrínseca que certos elementos ou coisas mantêm entre si, mas destaca a relação que constitui a realidade polimorfa de dois seres numa única unidade de sentido.* Quando dizemos aqui-agora, referimo-nos a um processo cosmológico que coloca espaço e tempo numa relação espaço–tempo, de tal modo que um se torna função do outro, um não pode ser pensado sem o outro, um não destrói o outro e, de certa forma, um constitui o outro. *Trata-se de uma relação de elementos existenciais que dá sentido a duas realidades diferentes, que só se fazem compreensíveis por meio de uma relação ontológica, isto é, do ser enquanto ser.*

Aqui-agora significa presença total de um dado em questão. Estou totalmente presente, minha existência (meu tempo) se confunde plenamente com minha essência (meu espaço). Aqui-agora, por exemplo, eu sou todo o meu espaço e todo o meu tempo, sou fruto existencial da relação espaço e tempo que, interdependentes, são os causadores de toda a realidade existente. Tudo é filho do tempo e do espaço juntos. A presença é filha do espaço–tempo atuando conjugados.

Aqui-agora, eu sou eu e a consciência desse fato cria uma sensação quase ontológica de mim sobre mim mesmo, como um ponto de indiferença criativa, como um vazio fértil, como um sutil ponto de poder, e é a partir desse momento de inteireza que tudo se torna possível. Quando digo aqui-agora, aqui é meu corpo interno e agora é minha alma, na mais absoluta e irrestrita união com meu corpo, a experiência de ambos tornando possível minha presença no mundo.

Quando digo aqui e agora, refiro-me a três coisas, ao mesmo tempo. Refiro-me a um sujeito que observa, ao espaço e ao tempo, e a certa relação que une essas três coisas. Quando digo aqui e agora, posso estar falando de presença e de ausência, posso estar falando de liberdade e de escolha. Escolha como um momento de liberdade e vice-versa. Também estou dizendo que, neste meu espaço (aqui) e neste meu tempo (agora), antevejo meu amanhã, vejo-me não só vivendo neste espaço e neste tempo, mas também me projetando no amanhã, em outro espaço e em outro tempo. Aqui-agora é de dentro para dentro e aqui e agora é de fora para fora. São duas perspectivas a respeito de uma dupla percepção em um ou em dois momentos e espaços dados, momentos e espaços estes que não são necessariamente momentos e espaços distinguíveis entre si. Aludimos a tempo e a espaço no contexto psicológico e não no da física.

Quando pergunto ao cliente: "Aqui-agora, o que você quer?", questiono na verdade: "Aqui-agora, quem é você, como o mundo e você se coadunam, como você se sente inteiro?" Afirmo que tempo, espaço e sujeito formam uma única realidade, vista de uma única perspectiva. Quando pergunto a alguém: "Aqui e agora, o que *você* quer?", faço referência a um mundo que começa nele, mas termina fora dele, pergunto como ele usa seu espaço, a começar por seu corpo, e como esse corpo–pessoa se enquadra em seu tempo.

Aqui são três realidades vistas por um tríplice olhar. Aqui-agora relaciona-se com o tempo vivido, experimentado, numa unidade espaço-temporal. Aqui e agora tem a ver com duração, com coisas que podem ou não ser desejadas ou até executadas. Embora diferentes, aqui-agora e aqui e agora apontam para dois momentos importantes da vida de uma pessoa: o primeiro, aquele em que, percebendo-se em sua identidade, cria condições de qualidade para seu exercício da liberdade de escolha; o segundo, aquele em que a pessoa se vê e se reconhece **do** mundo, mais do que **no** mundo, e vê o mundo e ela própria como fatores de possibilidades e de escolha. *Espaço e tempo são existenciais, isto é, formas de existência, que podem adquirir valores de transcendência na medida em que nossa subjetividade os experiencia como fatores de estruturação da personalidade, dando ao sujeito a sensação de uma singularidade única.* Duas pessoas jamais terão uma vivência idêntica de experiência interna do tempo e do espaço, pois a maneira pela qual alguém vive essa relação de espaço e de tempo é um forte indicador de como ela se estrutura e, sobretudo, de como se projeta para o futuro.

TEORIA. Espaço (aqui) e tempo (agora) são duas realidades que, consideradas isoladamente, são meras abstrações. Como já dissemos, por essa razão, alguns filósofos enamoram-se do tempo, falando dele dos mais variados pontos de vista, como "experiência interna do tempo, o tempo vivido, ser e tempo" e outros. De outro lado, o espaço parece não despertar nos filósofos o mesmo apelo, embora vivamos, tanto quanto no tempo, mergulhados no espaço que, por ser tão evidente, parece não ter um especial sentido para nós. Já o tempo é o lugar, por excelência, do imaginário, das possibilidades, da esperança, cujo tempo é o último que morre e no qual as emoções ocupam um lugar privilegiado – entretanto, é o espaço a guarida e a guarita do tempo.

O tempo mora no espaço e, por isso, o corpo humano é o espaço–lugar do tempo vivido e cronológico. Mais uma vez, falamos de espaço e de tempo psicológicos, e não de tempo e espaço físicos: o corpo é o nosso primeiro e metafísico espaço. O espaço é fixo, mas meu olhar interno o faz dinâmico e em movimento. O tempo é dinâmico, é movimento, mas meu olhar pode vê-lo parado (este tempo não passa) ou em movimento (o tempo está correndo). Podemos lidar com o **aqui-agora** e com o **aqui e agora** por intermédio dos conceitos de *ajustamento criativo*, *awareness*, *campo*, *corpo*, *fenômeno*, *ipseidade*, *parte–todo*, *self*.

CLÍNICA. Aqui-agora e aqui e agora são processos básicos do agir humano. Estamos necessariamente em um ou em outro. Realidade e fantasia, querer e não querer são processos que se sustentam a partir do sentido de espacialidade e temporalidade que o sujeito vive. Algumas psicopatologias são disfunções do uso do tempo e do espaço que, como fatores estruturantes da personalidade, supõem que a pessoa esteja auto-regulada na experiência imediata de seu aqui e agora. Vivemos em um grande campo e as leis que o regem supõem um profundo contato entre as variáveis psicológicas e não-psicológicas como fatores de equilibração. Estamos todos envolvidos com problemas de espaço e de tempo. Tempo de mais, tempo de menos, espaço grande demais, espaço pequeno demais. Nossas questões estão entre o espaço e o tempo e além de ambos. Quando os clientes falam de questões ligadas ao desejo, à morte, ao sentido da vida, provavelmente, estão falando do modo como vivem o espaço e o tempo. Quando experienciamos, na relação com os clientes, reações contratransferenciais ligadas à vivência do espaço e do tempo, é possível que essas reações não-conscientes a problemas dessa ordem tenham que ver com o modo pessoal de como lidamos com o nosso espaço e nosso tempo.

AWARENESS

AWARENESS É UMA palavra de difícil tradução, uma vez que de difícil compreensão pela complexidade e diversidade de sentidos que encerra. Teóricos, no Brasil, lhe atribuem um significado, como se *awareness* fosse um construto por si mesmo, esquecendo-se de que palavras estrangeiras trazem em seu bojo um conteúdo cultural a que só os nativos, de fato, têm acesso. Entendemos, entretanto, *awareness* como consciência da própria consciência ou como um processo pelo qual me torno consciente de minha própria consciência, aqui e agora, no mundo. *Trata-se de uma consciência de apreensão de totalidades, como se todo meu ser se resumisse em um único ato de cognição emocional. Não é algo puramente cognitivo, é a expressão vivenciada e consciente de que somos seres de relação, em um profundo dar-se conta por meio de uma sensação de integração de todas as minhas partes em um único ato de percepção interna.*

Meu ser está envolvido por esse momento de encontro com minha intencionalidade, com a chegada do sentido para mim da relação eu–mundo como uma consciência corporal de totalidade. Essa consciência ocorre quando todo meu ser, ou seja, minhas percepções, emoções, sentimentos, pensamentos trabalham, conjuntamente, para que eu possa ressignificar o dado, apenas captado por minha consciência, e pelo qual todo o meu ser se prepara para intervir ou não no mundo à minha frente. Uma consciência reflexa de si mesma. Faço sentido para mim mesmo porque, em dado momento, tenho a sensação de ter captado minha realidade por inteiro. É um dar-se conta de dentro para fora, de tal modo que, ao mesmo tempo que me vejo como singular, sou também pluralidade, na medida em que não conseguiria me olhar apenas através de mim mesmo. Awareness é, igualmente, atenção (*attention*), a mente cognitiva percebendo um objeto, é consciência (*consciousness*), uma consciência afetivo-emocional que se expressa pela introdução do corpo no processo de conhecer, tornando-se, finalmente, a própria *awareness*, que junta o cognitivo, o emocional e o motor, aparecendo como a expressão de um único processo de totalização emocional.

Awareness, *o estar consciente de que se está consciente, não como um ato cognitivo apenas, mas como algo integrador e transformador. É um momento de síntese emocional, no qual parte e todo, figura e fundo se transformam em parte–todo, figura–fundo, desaparecendo o objeto na subjetividade emocional do sujeito.* Awareness é um momento de encontro com minha totalidade, buscada sempre pelas mais variadas formas de ampliação de consciência, mas que em si não funcionam numa relação de causa e efeito, pois, quando a *awareness* acontece, chegou sempre por acaso. É uma espécie de redução transcendental em que o ser se percebe como uma totalidade no mundo e por isso como único, singular, inconfundível. Chamo esse momento de consciência emocionada, a junção harmoniosa de mente e coração, formando um *insight* transformador. Awareness, *portanto, é mais que estar atento, é mais ou diferente de estar consciente. É um dar-se conta, um olhar para dentro, final e conclusivo, a partir do qual dificilmente passarei pelo mesmo lugar com a mesma roupagem intelectiva e emocional.* Não ocorre mudança sem que a pessoa passe por um momento de **consciência emocionada ou consciência de totalidade emocional,** cujo processo, além dos efeitos previstos, poderia chegar ao nível transcendental. Isso porque, quando alguém experiencia um momento de *awareness*, acontece um dar-se conta integrado, e a pessoa, de certo modo, perde a consciência intelectual, atingindo, nessa ampliação de limites, o nível da transcendência.

Awareness *é um caminho de mudança, um processo de integração harmoniosa pessoa–mundo de tal modo que fica na pessoa a sensação de fim de linha, de chegada de uma longa e difícil viagem, e, sobretudo, uma sensação de completude, de um chão fecundo em que as sementes já podem germinar.* Estar reflexivamente consciente de si mesmo no mundo é ter encontrado respostas de cuja pergunta pouco ou nada se sabia. É importante que a pessoa se dê conta de onde ela está, existencial e cognitivamente, o que não é fácil, pois só se muda de lugar quando se sabe onde se está ou quando de fato se incomoda por não saber onde está. Referimo-nos a uma *awareness* prática, a um dar-se conta emocionalmente do que ocorre à nossa volta, porque é essa sensação que nos permite operar mudanças. Dar-se conta de quem se é é quase ser o que se é, uma junção harmoniosa do ser e do estar no aqui e agora da pessoa, pois *awareness* supõe um processo permanente de conhecer-se como do mundo e no mundo.

A TEORIA. *Awareness* é um conceito que implica a experiência da própria totalidade, que, por sua vez, implica sempre a idéia de contato processual relacional. Diferentemente de outros conceitos, esse nos traz para uma dupla dimensão, subjetividade e intersubjetividade, uma vez que é da natureza da *awareness* a dimensão relacional. Estar em contato não é apenas prestar atenção ao outro, é penetrar em seus sentidos e significados. Não estarei em contato com ele usando apenas minhas introjeções. Só estarei, de fato, em contato com ele quando nos incluirmos um no outro por meio de nossa intersubjetividade. De outro lado, torno-me um fenômeno para mim mesmo apenas quando me abro à minha própria contemplação sem medo do que vou encontrar. Isso implica abertura para toda e qualquer possibilidade e é uma experiência de me tornar presente para mim mesmo. *Awareness* pode ser trabalhada, no contexto clínico, entre outros, com os conceitos de *aqui-agora, auto-regulação organísmica, contato, corpo, figura–fundo, fenômeno, polaridade, presença*.

A CLÍNICA. Freqüentemente, o cliente é alguém que perdeu a crença em si mesmo, perdeu o poder de acreditar em si e se debate para livrar-se de situações que ele mesmo reconhece como depredadoras de seu próprio ser. Sabe e reconhece o caminho, mas não sabe como caminhar. O neurótico está ligado a partes suas ou do mundo e espera delas o que elas não lhe podem dar. Ele pensa, sente, faz e fala desconectado de sua totalidade, havendo uma separação entre sua existência e seu poder de mudança. O processo terapêutico passa por esses três momentos: o de estar atento, o de ter consciência e o de dar-se conta de sua realidade. A passagem de um momento para o outro pode ser, muitas vezes, dolorosa, tendo em vista que exige o abandono de caminhos e soluções que o "protegiam", mas nada resolviam. *Awareness* é um momento de iluminação, de uma conversão, em que a pessoa se percebe como uma totalidade em funcionamento e, somente então, se vê como possível. Ela exige um retorno à sensação de totalidade, por meio da qual nos sentimos acompanhados e mais fortalecidos para mudar. O momento da *awareness* é um acontecimento, não pode ser encomendado; todavia, sem procurá-lo, dificilmente o atingiremos – ainda que, quando ele acontecer, terá sido sempre por acaso.

BLOQUEIO DO CONTATO

Contato não se limita à apreensão do objeto por nossos sentidos. Isso seria apenas um processo instintivo entre a percepção do objeto e o próprio objeto que, por sua vez, e de algum modo, está em relação com o sujeito que o percebe. Não sou livre para não perceber; simplesmente percebo, embora nem sempre tenha consciência de minha percepção. A essência do contato está na entrega, em compartilhar conscientemente, na liberdade de querer perceber, pois não perceber o que os sentidos já enviaram à minha consciência implica um não perceber mais filtrado e, por conseguinte, mais psicodinamicamente comprometido com a realidade negada. *Contato, portanto, supõe a percepção consciente e voluntária da realidade fora do sujeito. Fazer contato está ligado diretamente à questão da intencionalidade, do sentido que a coisa tem em si e do significado que minha relação estabelece com a coisa em mim, para mim e fora de mim.*

Todo contato é, ao mesmo tempo, interno e externo ao sujeito. Privilegiamos, às vezes, mais o interno; outras vezes, o externo, dependendo do sentido e do significado que a realidade exige do sujeito, naquele dado campo. Num processo de meditação, todo o meu ser interior se envolve tão plenamente que a realidade externa desaparece, e há casos em que ela demanda tanta vigilância que todos os meus sentidos se postam a seu serviço. Em ambos os casos, o interno e o externo estão acoplados; contudo, mediante um processo fundado aqui-agora na necessidade dominante, um deles se transforma em figura.

O contato – sua profundidade ou consistência – é determinado pela relação de necessidade que o sujeito, sentindo-se no mundo, faz entre ele e o mundo. Sua essência não está nem lá nem cá, está no entre. A palavra "bloqueio", entretanto, traz consigo certa intencionalidade, como uma vontade de impedir que algo aconteça, mas que, na verdade, não acontece assim, pois estamos sempre numa dupla dimensão de contato, interno e externo. No interno, vivo uma espécie de centragem, eu comigo mesmo, encontrando em mim minha auto-regulação, meu auto-ajustamento; e, no externo, uma espécie de equalização, na qual busco fora de mim a satisfação de minhas necessidades. Precisamos, portanto, ser cuidadosos com a expressão "bloqueios do contato", porque, sendo a necessidade o que determina a qualidade do contato, o sujeito está, muitas vezes, apenas se auto-regulando, e não bloqueando uma necessidade emergente. Sob este aspecto, o bloqueio existe como uma maneira de a pessoa se auto-regular e se auto-ajustar, mesmo que precariamente, às vivências de seu universo relacional. Nesses casos, o bloqueio funciona como uma forma de a pessoa manter-se ativa no processo de auto-equilibração. Apesar de frágil, o bloqueio funciona como uma das únicas possibilidades disponíveis para a pessoa manter um contato tolerável, naquele aqui e agora.

A essência do bloqueio é sua consciência administrativa, ou seja, tenho consciência de que a experiência que vivo, aqui-agora, é insuportável, quero me livrar dela e uso meios claros para bloqueá-la. Nesse caso, procuro e encontro argumentos emocionais e os introduzo em minha experiência a fim de me livrar das sensações ou pensamentos insuportáveis, bloqueando conscientemente a sensação de contato interior comigo mesmo. Sem conseguir funcionar com essas sensações mais fortes do que eu, procuro dentro ou fora de mim lembranças, emoções antigas, sentimentos, imagens, histórias, o que for, para provocar em mim um equilíbrio, ainda que precário, e poder superar a sensação de ser inadequado. E ainda assim estou me auto-regulando, organismicamente. Amiúde, entretanto, sinto algo que não sei definir, como uma força estranha, contínua, que me impede de me alegrar, de trabalhar, de amar, de viver. Essas forças fazem parte daquelas psicodinâmicas das quais não tenho consciência. Todo o sistema interno de contato está em pane, não conseguindo acessar meu poder, meu querer, minha liberdade. Apenas me sinto imobilizado, fixado e impotente. Talvez, nesses casos, não devamos falar de bloqueios, mas de interrupções do contato, porque a consciência é, de algum modo, consciente de algo a respeito do qual ela se sente incompetente.

Quando mencionamos bloqueio do contato, introduzimos certo nível de consciência, embora precise ficar claro que, consciente ou inconscientemente, o organismo está tendo seu melhor desempenho, daí o cuidado que se deve ter para não quebrar, retirar esses bloqueios, como se fossem algo dispensável na organização que o organismo, como um todo, faz de suas próprias defesas e reservas. Todos os clássicos mecanismos de bloqueio – fixação, dessensibilização, deflexão, introjeção, projeção, proflexão, retroflexão, egotismo e confluência – têm de ser entendidos, neste contexto. Todos eles são formas complexas de contato e indicam uma posição vivida pelo organismo, como um fundo que organiza as necessidades do sujeito ou como algo, aqui-agora, disfuncional em sua relação pessoa–mundo. Os chamados bloqueios, conscientes ou não, são processos relacionais e precisam ser vistos sempre como relacionais, posto que nada faz sentido, na pessoa humana, se ela não for considerada causa singular e individualizada de suas formas, saudáveis ou não, de ser e de estar no mundo.

A TEORIA. Na verdade, bloquear um contato é uma forma de fazer contato. A palavra "contato" pode dispor de mil conotações, porque o contato será saudável ou não, será visto como fluindo ou como bloqueado ou cortado, da perspectiva de quem olha e de quem define o que é contato e para que serve. Temos estado, teoricamente, sujeitos a expressões pouco consistentes que, uma vez feitas e no mercado, parecem encerrar toda a verdade. Ninguém se bloqueia porque quer. Na verdade, é impossível não estarmos em contato, pois sem contato tudo desvanece e morre. Mas também entendemos que, em geral, quando dizemos que alguém está com seu contato bloqueado ou está bloqueando o contato, algo acontece na esfera do não-consciente e é função da terapia permitir à pessoa, por um processo de consciência emocionada ou de *awareness*, poder retomar o curso de um tipo de contato que a faça viver em equilíbrio. Alguns conceitos, como awareness, *campo, corpo, cuidado, fenômeno, figura–fundo, experimento, mudança paradoxal, parte–todo, ipseidade* e *totalidade*, podem nos ajudar e nos instrumentalizar na melhor condução de situações de bloqueio.

A CLÍNICA. Palavras mestras na arte de ser terapeuta: delicadeza, ternura, cuidado. Ninguém se bloqueia porque quer ou por teimosia, pois até o querer se bloquear já é algo que nos diz onde a pessoa se encontra. Assim, quando identificamos algo a que chamamos bloqueio (afinal, o que a pessoa está fazendo é apenas se auto-regular, se auto-ajustar), precisamos de toda nossa perícia para entrar na casa protegida do cliente. Se abrirmos portas e janelas, porque assim pensamos ou sentimos que deva ser, podemos dar entrada a ventos e tufões que o cliente não tem nenhuma condição de enfrentar. Os bloqueios e as resistências do cliente precisam contar com uma amorosa proteção do terapeuta, pois eles não estão ali sem motivos. Bloqueios e resistências são forças de pessoas que, momentaneamente, perderam a confiança em seu poder pessoal e só com muito cuidado, isto é, ao se sentirem cuidadas e aceitas pelo que são e como estão, poderão recuperar seu poder pessoal de estar na vida de maneira saudável e sem medo. Atrás de todo bloqueio, há um medo, mas não é o bloqueio que deve ser objeto de cuidado, e sim os componentes envolvidos nesse medo, que impedem a pessoa de se expressar, de sorrir e de viver como verdadeiramente é.

CAMPO

A PALAVRA "CAMPO" é um dos construtos mais usados na abordagem gestáltica e também clínica, para explicitar melhor o processo terapêutico. Esse conceito, entretanto, é utilizado de forma indiscriminada e sem um referencial teórico, o que dificulta sua definição conceitual e, conseqüentemente, sua operacionalização. Campo é uma noção muito precisa e, como tal, deve ser usada. Assim, buscaremos em Lewin a definição do conceito campo.

Denominamos campo a uma totalidade de fatos existentes que são concebidos como mutuamente interdependentes [...]. O método deve ser analítico, isto é, deve distinguir especificamente as diferentes palavras que influenciam o comportamento. [...] O conceito de campo psicológico como um determinante de comportamento supõe que tudo o que afeta o comportamento num determinado tempo deveria ser representado no campo existente naquele momento, e são partes de um campo presente só aqueles fatos que podem influir no comportamento.[8]

Como se vê, é importante definir a partir de que lugar, de que horizonte, falamos do conceito de campo. Todo comportamento ocorre no campo, o qual, por sua vez, afeta diretamente o comportamento. O campo é concebido como uma totalidade de fatos que afetam diretamente o comportamento, mas só são considerados campo os fatos que podem influir no comportamento, em determinado momento. Ou seja, o campo é constituído de fatos interdependentes que estão acontecendo aqui-agora. *Passado e futuro estão excluídos do campo, e é esse dado que conecta a teoria do campo diretamente à fenomenologia, que se preocupa com o resgate da experiência imediata. As lembranças de ontem e as preocupações do amanhã só podem ser consideradas campo quando a pessoa as vive, aqui-agora, e, por intermédio delas, influencia e modifica seu comportamento.* "Em realidade, a pessoa não é uma unidade inteiramente homogênea, mas um objeto altamente diferenciado."[9] O campo, portanto, inclui variáveis psicológicas e não-psicológicas, e a inter-relação dessas variáveis faz o comportamento altamente heterogêneo. Não podemos visualizar o construto campo, mas precisamos compreendê-lo como algo que constrói algo, que constrói uma unidade de sentido, uma Gestalt e que torna compreensível determinado conteúdo, que abrange todos os elementos, que, aqui-agora, estão presentes na realidade da pessoa, influenciando-a.

A fim de ajudar a elucidar o conceito, reproduzimos aqui três trechos de Garcia-Roza e um de Kurt Lewin.

> As fronteiras interiores à pessoa, assim como as do meio, repousam em parte nas diferenças qualitativas entre as regiões vizinhas e em parte nas propriedades das próprias fronteiras.[10]
>
> A unidade dinâmica da totalidade da pessoa depende não somente da relação que as partes do todo mantêm entre si, mas também da relação do todo com o seu meio.[11]
>
> Cada região na estrutura interna da pessoa é conhecida por Lewin como uma Gestalt.[12]
>
> A Teoria do Campo provavelmente se caracteriza melhor como um método, isto é, um método de analisar relações causais e de criar construções científicas. Qualquer comportamento ou qualquer outra mudança no campo psicológico depende somente do campo psicológico naquele momento.[13]

Ou seja, não podemos pensar nada isoladamente, muito menos a pessoa humana. A pessoa sem ou fora do meio e o meio sem ou fora da pessoa são abstrações a respeito das quais pouco ou nada se pode fazer. O sentido das coisas está na totalidade da coisa, na medida em que são percebidas pela nossa consciência. Essa totalidade empresta sentido às coisas, sentido que é fruto da relação necessariamente interdependente entre pessoa e meio. Precisamos estar atentos à pessoa como um todo, isto é, entre seu processo e seu sintoma, entre as partes e o todo em sua relação operativa. Lewin deixa claro que o campo psicológico só existe em um dado momento, quando visto em sua totalidade. Alterando-se qualquer das variáveis do campo, ele todo se reconfigura à procura de uma nova unidade de sentido, para que a pessoa possa ter acesso às variáveis que interferem em seu sintoma de auto-equilibração. O construto não é necessariamente algo que se vê, mas algo com a ajuda do qual podemos estruturar conceitos e ações, de tal modo que ele operacionalize, por intermédio do sujeito, a realidade que o cerca, e assim também o conceito de campo.

A TEORIA. Podemos dizer que vivemos, simultaneamente, em diversos campos, uma vez que, aqui-agora, estou em relação com variáveis psicológicas e não-psicológicas que afetam, diferentemente, meu comportamento e, ao mesmo tempo, meu meio psicológico. Essas variáveis organizam meu campo e por meio delas ele se estrutura. A grande questão, contudo, é ter consciência de como esse campo se estrutura em sua relação comigo ou de como o estruturo conscientemente. O campo, portanto, é reflexo da relação da pessoa com seu meio, num preciso momento e lugar. Nele, encontramos zonas periféricas e zonas centrais, e a permeabilidade entre elas passa pela seletividade com que o organismo procura uma forma de auto-regulação, baseado em suas necessidades e motivações. Todo campo é um campo energético e essa energia precisa circular livremente; de tal forma que nos é possível afirmar que muitas patologias são disfunções energéticas, tendo em vista que as pessoas não conseguem lidar com a tensão, a valência e a força dos vetores presentes no campo, como condutores de necessidades. Ou seja, saúde e doença são funções de um campo bem ou mal experienciado. Os conceitos de *contato, experimento, figura–fundo, fronteira do contato, necessidade* e *parte–todo* podem, entre outros, ajudar-nos a trabalhar clinicamente os conteúdos de um **campo** humano sob observação.

A CLÍNICA. Cliente e terapeuta formam um campo unificado e o comportamento de ambos é regido pelas variáveis ali presentes, naquele dado espaço e tempo. O consultório se transforma, momentaneamente, no espaço vital de ambos, e o terapeuta deve ter profunda consciência de que, naquele campo, nada é isento de significação e de que toda a vida do cliente, e não apenas seus sintomas, está presente naquele momento e atuando na produção de determinado efeito. Isto é, o terapeuta não está sozinho na condução do processo terapêutico e o próprio campo se transforma em um agente de cura, quando terapeuta e cliente fazem dele uma leitura correta e competente. É importante elucidar que nosso consultório não é apenas nossa sala, e que estamos no mundo, o qual, como um grande campo, está presente o tempo todo como terceiro atuante. Sem uma clara noção de como o campo funciona, o terapeuta perderá informações fundamentais na condução do caso. Logo, o terapeuta precisa estar atento a todas as variáveis psicológicas e não-psicológicas que afetam o campo existencial de seu cliente, pois essas variáveis estarão presentes no campo unificado de seu consultório.

CICLO DO CONTATO

Ciclo do contato é um modelo organizado por vários autores que se propõem a explicar didaticamente o jeito como as pessoas fazem contato, produzindo, vivendo, se expressando e bloqueando sua relação com o outro. É expresso graficamente por um círculo pontilhado, tendo no centro o self, como um ponto eqüidistante, para o qual tudo converge e do qual tudo nasce ou diverge. *Convergência* é um movimento de fora para dentro, isto é, a rede extremamente complexa de contatos que é o universo, convergindo para criar uma unidade de sentido, em que milhares de coisas fazem sentido entre si e agora fazem sentido para mim. *Divergência* é o oposto, milhares de coisas que fazem sentido dentro de mim, partindo agora para encontrar seus pares na rede interminável de contatos que criam as diferenças. E ambas, convergência e divergência, se juntam, numa infinita complexidade de sons, produzindo uma única melodia. *O ciclo, portanto, relaciona-se com expansão e retraimento, com aprofundar raízes e expandir-se para o alto. Contato é contato. Sempre sabemos quando estamos em contato ou nos opondo a ele, mas o que diferencia uma situação da outra é a relação de eqüidistância entre o lugar no qual o contato começa e a direção que ele assume em sua relação ao outro. A essência do contato é a troca consciente entre o sujeito e algo (coisa ou pessoa) fora dele.* Sem consciência de uma parte com relação à outra, o contato não se faz.

* * *

Colocadas essas condições, as possibilidades de contato se tornam infinitas. Zinker fala do ciclo de consciência–excitação–contato, distinguindo sete fases: sensação, consciência, mobilização de energia, excitação, ação, contato e retraimento,[14] e Ribeiro refere-se ao ciclo de contato da saúde com nove fases: fluidez, sensação, consciência, mobilização, ação, interação, contato final, satisfação e retirada.[15] Clarkson descreve o ciclo de formação e destruição da Gestalt com sete fases: sensação, *awareness*, mobilização, ação, contato final, satisfação e retirada.[16] É inquestionável que grandes autores vêem no ciclo do contato um modelo teórico por meio do qual o processo de contato pode ser visualizado como expressão fenomenológica de uma realidade vivida e experimentada. Em *O ciclo do contato: temas básicos na abordagem gestáltica* (1997), sintetizando todos esses autores, apresento também nove bloqueios, cada um correspondendo a um mecanismo de saúde: fixação, dessensibilização, deflexão, introjeção, projeção, deflexão, retroflexão, egotismo e confluência.

Assim como este autor, Zinker e Clarkson colocam o self no centro de seus círculos, sendo o self, em geral, definido como um sistema de contatos que, por intermédio de suas funções id, ego e personalidade, processa a relação de contato da pessoa no mundo. *O contato, como expressão de vida, é eternamente renovável, permitindo à pessoa se reconhecer e se renovar, ao modelo do universo, mediante ciclos de mudança.* Somos os contatos que fizemos e nossa transformação segue a dinâmica de nosso jeito de encarar a vida. Somos o que ouvimos, vimos, cheiramos, comemos e tocamos. As pessoas fizeram, fazem, mantêm, interrompem e cortam o contato. Se soubermos como uma pessoa manipula o contato, saberemos como ela funciona. O ciclo, tanto na expressão de saúde quanto de bloqueio, retrata esse experienciar existencial pelo qual as pessoas tornam a realidade presente.

O ciclo e a teoria do ciclo, assim como exposto em *O ciclo do contato: temas básicos na abordagem gestáltica* (1997), colocam terapeuta e cliente em níveis de diagnóstico e prognóstico, no sentido de que o mecanismo de bloqueio encerra o diagnóstico de maneira simples, ao passo que o mecanismo saudável mostra o movimento pelo qual a pessoa pode revisitar sua história, seu ser total e se fazer significativa para si mesma. Ciclo e teoria do ciclo revelam, assim, o caminho de volta para casa, o caminho árduo da mudança e da cura. *O ciclo é uma expressão do que dizemos ao afirmar que a pessoa humana é, essencialmente, um ser de relação. Quando afirmamos que o universo procede em ciclos, também estamos dizendo que as pessoas repetem o mesmo movimento em escala micro, pois ciclo significa que o presente é o repasse do passado transformado e a projeção do futuro por meio das estruturas já presentes nele. Essa circularidade nos torna essencialmente seres de relação em permanente mudança, ou seja, seres à busca de si mesmos. Isso é contato.*

A TEORIA. Ciclo do contato ou contato que ocorre em ciclos. Nos mecanismos de bloqueio do contato, o ciclo funciona precariamente, uma vez que o sistema de contato está prejudicado, e, muito embora os bloqueios sejam formas de auto-equilibração organísmica, o equilíbrio precário ou instável que se estabelece impede a pessoa de fluir e fazer sua caminhada para um contato pleno, que é onde e quando a mudança ocorre. Já com os mecanismos de saúde, o movimento flui, fechando, a cada ponto do ciclo, a Gestalt ali estacionada, até a "retirada", que é onde o contato se fecha, a necessidade é satisfeita, a figura é transformada e a pessoa se prepara para um novo ciclo de experiência. O ciclo registra, por seus diversos mecanismos, o movimento humano de estar sempre à procura, pois se inicia em "fluidez" e termina em "retirada, passando pelos mesmos lugares, em intermináveis ciclos de procura e de mudança", ainda que de modo diferente. Assim como o universo, vivemos em ciclos, e cada ponto do ciclo registra marcas de nossa caminhada, cósmica e humana. Os universos cósmico e humano retornam sempre à procura e à espera de que o próximo ciclo seja mais inteiro, até que os ciclos se fechem de vez, o humano retornando à mãe terra, e o cósmico evoluindo, num eterno sem fim, ambos em busca de seu pleno desenvolvimento. O **ciclo** pode ser trabalhado com todos os conceitos aqui apresentados, na medida em que Gestalt é **contato**, devendo-se apenas atentar a partir de que enfoque se quer trabalhar.

A CLÍNICA. O ciclo do contato é um de nossos grandes instrumentos de trabalho, considerando que, uma vez identificado o problema do cliente, nós o localizamos no ciclo, situando-o em um dos bloqueios do contato. Ao mesmo tempo, identificamos qual a proposta oferecida pelo ciclo como instrumento de trabalho, indicando-nos diferentes caminhos que os mecanismos de saúde nos possibilitam percorrer com os clientes. Se, por exemplo, identifico um *introjetor*, sei que a *mobilização* será, num primeiro momento, a chamada para refletir com ele como se movimenta no mundo. Não podemos esquecer que estamos falando de um diagnóstico processual e não de uma situação fixa e definitiva, pois é da natureza do ciclo ser processual; afinal, do contrário, não seria ciclo. Além dessa informação, o ciclo também registra em que função do self a pessoa se encontra mais fixada, o que nos permite saber os processos básicos que ocorrem, mais comumente, em cada um desses sistemas ou funções. O ciclo é apenas um de nossos instrumentos auxiliares de trabalho, porque são o preparo e a consciência do terapeuta que finalmente apontarão o sentido da caminhada que o cliente e ele estão por iniciar.

CONTATO

Fazer contato tem que ver com relacionar-se, com encontrar-se consigo mesmo e com o outro, sem nunca perder a perspectiva de que tudo ocorre no mundo. Fazer contato é estar presente a si mesmo, é olhar para dentro e se reconhecer como sendo si mesmo. A essência do contato, mais que estar em contato com o outro, é estar em contato consigo mesmo. Estar em contato consigo mesmo ou com o outro ocorre em diferentes níveis: do sentir, do pensar, do fazer, do falar. Estas, entre outras, são quatro formas de estar em contato consigo e com o outro, e os diversos níveis de contato relacionam-se com esses diferentes sistemas. A intensidade e a duração do contato estão ligadas ao sentido que o sujeito dá à realidade fora dele. Somente pode estar inteira no contato a pessoa que tem consciência de ter intuído a totalidade de sua relação em um dado campo e em um dado momento. O contato, portanto, é aqui e agora. O contato com o passado e com o futuro acontece em determinado espaço e tempo, uma vez que o contato é resultante das variáveis psicológicas e não psicológicas que interferem no espaço de vida da pessoa.

A *awareness*, ou o dar-se conta pleno, é uma forma integrada e totalizante do resultado das variáveis presentes em dado campo e aprendidas pela consciência. A pessoa humana está necessariamente em contato, embora ele passe por níveis de aproximação. Fala-se em pré-contato, contato, contato pleno e pós-contato. Na realidade, o contato não chega assim à consciência. *Um velho aforismo filosófico afirma que nada vai ao intelecto sem antes passar pelos sentidos, instrumentos do contato que captam a realidade de fora para que, em seguida, ela seja processada pelo intelecto, que a reconhece como uma realidade fora dele.* Trata-se, portanto, de um processo que envolve o organismo como um todo. Na verdade, é o corpo–pessoa que sofre por inteiro a experiência do contato.

Por vezes, estamos em contato, mas não sabemos denominá-lo, como numa estranha sensação de estar perdido. Isso acontece porque não temos acesso à própria essência da sensação, percebemos o como e não o quê da sensação. Nesse caso, para que o contato se torne pleno, precisamos introduzir inteligibilidade na situação por intermédio de um porquê ou de um para quê, a fim de que sentido e intelecto se acoplem e o contato se torne pleno. Talvez devêssemos perguntar se todo contato pleno é também um contato saudável. Não sabemos o que é um contato pleno nem se um contato intenso pode ser visto como um contato pleno. *As disfunções do contato, certamente, estão relacionadas com a questão de contatos plenos e/ou intensos e não saudáveis. Aqui entram os bloqueios do contato com ou entre essas diversas dimensões do ser humano. Esses bloqueios localizam-se na esfera da não-consciência, mas são vivenciados pelas pessoas na razão em que não conseguem satisfazer suas necessidades, e na medida em que sua relação com o mundo exige delas respostas mais adequadas.*

Algumas pessoas priorizam uma das formas de contato que, quando levadas ao extremo, interrompem o ciclo normal do movimento de equilibração própria do organismo. Existem diversas formas de contato: com o corpo, com a mente, com o coração, com a natureza. *Tudo no universo está em contato, pois é ele a alma que transforma e sintetiza todas as coisas. O contato está no olhar, na fala, no ouvido, no* gosto, *no movimento. Contato não é toque.* Talvez possamos dizer que em todo contato existe algo de toque, porém nem todo toque pressupõe contato, ao menos em nossa definição. *O contato inclui a experiência consciente do aqui-agora, envolve uma sensação clara de estar em, de estar com, de estar para e cria algo diferente do sujeito e do objeto (pessoa ou coisa) com o qual está em relação.* É fruto do encontro de duas totalidades, ainda que um dos lados ignore essa relação contactual de totalidade, uma vez que o contato não é, necessariamente, produto da vontade de estar em contato. Ele é encontro harmonioso, simples, fruto da entrega recíproca de duas pessoas ou coisas, dispostas a serem iguais pela troca das diferenças, como resultado de uma nova relação que cria a sensação de que eu sou eu, de que o outro é o outro e de que ambos são seres complementares. O contato é o instrumento humano que transporta a vida, e a vida é a expressão visível dos invisíveis contatos que fizemos em nossas caminhadas à procura da terra do sempre.

A TEORIA. A Gestalt-terapia faz do conceito de contato sua autodefinição instrumental e essencial. Trabalhar o contato nas e das pessoas no mundo é o caminho a fim de que a relação cliente–terapeuta tenha visibilidade e se torne funcional e operacional. Mediante a observação cuidadosa de como as pessoas fazem contato, poder-se-á chegar a perceber quem elas são. O contato é, portanto, o existencial que nos leva à essência mesma da pessoa, na medida em que mostra como as pessoas fazem suas escolhas e por meio delas revelam o mais íntimo de seu ser. É do contato consigo mesmo que nascem todas as possibilidades de contatos com o mundo. Quando bloqueamos o contato em nós mesmos, perdemos a dimensão do outro, que é quem primeiro nos revela nossos lados ocultos. Expressamos o contato nas mais variadas formas: através do que experimentamos, do como experienciamos, do para que existimos, e, numa síntese desses momentos, podemos transcender por intermédio da sensação de uma totalidade conseguida. Como todo construto precisa ser operacionalizado, a fim de não se tornar uma mera abstração ou um ente filosófico, e como não se pode trabalhar o conceito de **contato** por ele mesmo, podemos usá-lo com a ajuda de outros construtos, tais como: *aqui-agora, ajustamento criativo*, awareness, *corpo, cuidado, experimento, parte–todo, presença* e outros, a depender da perspectiva do observador.

A CLÍNICA. O gestalt-terapeuta não possui uma visão determinista da pessoa humana, não é um modificador de comportamento, mas alguém que acredita na potencialidade de todo ser humano. É da natureza da psicoterapia promover o contato, de tal modo que o cliente possa, cada vez mais, voltar-se para dentro de si mesmo e se ver no mundo como um ser de possibilidades. Toda neurose implica a perda da qualidade do contato. Por essa razão, freqüentemente, o cliente chega à terapia já se utilizando de seus últimos recursos, da capacidade que ainda o mantém se auto-regulando. O terapeuta precisa estar inteiro com o cliente e também percebê-lo em sua inteireza, atento a dimensões que poderiam escapar à consciência. Precisa estar aberto para penetrar no mistério da pessoa, estar sensível para conviver com dimensões pouco cuidadas, como o sagrado e o transcendente, para perceber toda e qualquer manifestação da natureza, e respeitar todos os saberes. O terapeuta, mais que um curador, é um cuidador, e cuidar é a máxima forma de contato.

CORPO

Corpo e alma. Alma e corpo. Corpo–alma. Se deixarmos que essa combinação de níveis de contato penetre nosso ser, seremos transportados para dimensões completamente diferentes. O ser pessoa é constituído por essas dimensões, ora atuando uma, ora mais outra. *Quando olho meu corpo, não tenho a dimensão do que estou vendo. É como olhar para o oceano e pensar que vejo apenas água, é como olhar para a lua e ver apenas luminosidade e beleza ou olhar o sol e ver apenas calor.* O corpo transcende tudo a que temos chamado corporeidade. Por corporeidade, entendemos mais do que uma percepção cognitiva ou emocional do que um corpo pode ser. Uma coisa é corporeidade no sentido de algo que tento definir como as relações de meu corpo no mundo e com o mundo, outra coisa é sentir minha própria corporeidade. Corporeidade significa sentir-me imerso em minha própria matéria corporal e, a partir dessa sensação, perceber-me como existindo, existente, vivo, reproduzindo, a cada instante, minha própria identidade e individualidade, minha própria materialidade experienciada.

Sou um corpo–pessoa. Enquanto corpo, carrego toda minha materialidade em meus sentidos, em minhas emoções, em meu tamanho, em meu peso. Como pessoa, carrego minha imaterialidade através de minha inteligência, através de minha vontade, através de minha fé, através de minha esperança, através de meu sentido e significado. Enquanto corpo–pessoa, sou a síntese possível de todos os materiais que habitam o universo e que em mim encontraram significação, sentido, repouso para se tornar visibilidade, graça, contato. *É meu corpo–pessoa que escreve, é teu corpo–pessoa que lê, é nosso corpo–pessoa que nos permite olhar o outro e por meio dele nos sentir existindo.* Meu corpo, minha corporeidade são uma fagulha do que eu percebo, na medida em que sou um transcendente eternamente lutando para ficar dentro de meus limites, para administrar minha pequenez, porque o mistério que se esconde em mim não pode ser desvendado por minha consciência corporal. Assim, estou sempre no limiar do certo e do errado, e quando, vez ou outra, tento alçar um vôo mais alto, buscando transgredir meu corpo, aí um raio de luz penetra meu mistério e percebo, aterrorizado, que sou um ser de infinitas possibilidades. *Na verdade, temos medo de nossas próprias possibilidades, por isso nossa capacidade de transgredir fica sempre no limite do sim e do não. Transgredir é transcender, é ir além de si mesmo ou daquilo que imagino que é o si mesmo, é caminhar decidido na direção do horizonte, ainda que, a cada novo passo, ele recue para se tornar uma nova perspectiva.*

Meu corpo é minha casa, a casa onde moro, e precisamos de uma casa, contudo é também o veículo que me conduz, que me leva ao encontro do que me fascina e me atrai ao encontro dos meus medos que me freiam. *Meu corpo... Oh, corpo meu, uma metade é medo, a outra, coragem; uma metade é prazer, a outra, dor; uma metade é esperança a outra, desengano, mas a metade dele é amor e a outra também.* Quando essas duas metades se encontram, temos a pessoa–corpo em pleno funcionamento. Não tenho um corpo, sou um corpo, sou um corpo para mim mesmo no mundo. Não vejo, ouço, sinto, toco as coisas. Meu corpo vê, sente, cheira, movimenta-se, toca as coisas. Meu corpo não é instrumento do meu eu, meu eu não é instrumento do meu corpo.

Não existem eu e meu corpo. Só sei que existimos. É a necessidade de meu ser que faz tudo acontecer. Meu corpo não pode ser pensado isoladamente. Sem o calor, sem o frio, sem a atração dos corpos, sem o ar que respiramos, a vida seria impossível.

Eu, meu corpo e o mundo fora de mim são os três elementos construtivos do que chamamos corpo–pessoa. A consciência de minha essência, do que sou, passa necessariamente por todos os elementos existenciais mundanos, que se transformam em transcendentais na constituição de meu ser–corpo–pessoa. Neste sentido, somos, necessária e ontologicamente, seres de relação. É a relação que constitui o ser no mundo. Isso é corporeidade. Corporeidade é relação, é contato. Quando digo meu corpo, digo meu mundo, funcionando como um mágico caleidoscópio. Ao menor movimento, tudo se reconfigura ou, melhor dizendo, nós, eu–corpo, reconfiguramos tudo.

A TEORIA. Meu corpo é minha totalidade, sentindo, pensando, fazendo, falando. Sentir, pensar, fazer e falar são funções do corpo–pessoa. Essas funções são co-relacionais, possuem uma cumplicidade contactual ontológica, uma não pode funcionar sem a outra. Mesmo que você queira excluir ou se esqueça de uma delas, elas trabalham juntas. Trata-se de uma vantagem, uma vez que, quando uma falha, as outras vêm em socorro da mais necessitada e também uma desvantagem, pois, se você quer premiar uma, à revelia das outras, esta divide com as demais o dom recebido. Estamos habituados a dizer: meu corpo quer, necessita dormir, como se, no meu corpo, existisse um outro que o comandasse. O corpo, por intermédio de seus vários sistemas, sinaliza para minha consciência a realidade interna–externa que experiencia, em dado momento e espaço. Podemos chamar a esse fenômeno consciência corporal, processo pelo qual o corpo responde, como uma consciência reflexa, como uma totalidade, aos estímulos que recebe de fora. A sensação de corporeidade é um processo subjetivo mediante o qual corpo–mente–ambiente formam uma unidade sincrônica, em que cada um desses elementos, sem perder sua peculiaridade, funde-se um com e no outro. Nesta síntese, não se sabe onde começa um elemento e termina o outro, porque se transformaram numa única experiência pela qual o sujeito percebe seu corpo como um objeto para ele mesmo – e aí sujeito e objeto se confundem. Os conceitos de *ajustamento criativo*, awareness, *cuidado, necessidade, presença, fenômeno* e *ipseidade*, entre outros, ajudam-nos a entender e a trabalhar com as questões do **corpo**.

A CLÍNICA. Doença é cisão na harmonia interna dos sistemas, nos quais um aparece mais afetado que o outro. Embora o corpo todo fique adoecido, uma parte ou um sistema demonstram, por meio da dor física, mental ou existencial, qual área está mais afetada e onde o contato está fluindo menos. Às vezes, experimentamos a estranha sensação de perda de nossa corporeidade, isto é, a perda da sensação de que este corpo é meu. O corpo fica estranho a seu dono, que parece carregar algo que não lhe pertence. Trata-se do oposto do que poderíamos chamar de *awareness* corporal, uma profunda sensação de presença ou de estar presente ao próprio corpo. A função do processo terapêutico é resgatar essa presença perdida e não mais sentida pela pessoa. A suprema dor é olhar para si mesmo e não se reconhecer, é olhar para o mundo e tudo lhe parecer estranho. O psicótico é alguém que perdeu a sensação da própria corporeidade, ele se dividiu ao meio. Uma parte é ele, a outra ele empresta a alguém, que é ele mesmo. Ambas as partes estão interligadas, holisticamente, pelo princípio máximo da auto-regulação organísmica. Esse princípio governa a relação distributiva entre todos os órgãos, de tal modo que uma parte vigia a outra que não é sentida como dele. A união das duas ocorrerá quando uma gota de amor a si mesmo e uma atenção cuidadosa para o que o mundo, de fato, significa para ele reunirem duas partes, permitindo-lhe poder se reconhecer de novo, e, como tal, voltar a sorrir para si mesmo.

CUIDADO

Terapeuta é o que cuida e não, necessariamente, o que cura. O terapeuta cuida do cliente para que ele possa se curar. Quando alguém se sente, realmente, cuidado, percebe-se como real, como pessoa, como indivíduo. *Cuidar é olhar a pessoa como uma totalidade, é olhá-la como ela se apresenta a si mesma e ao outro, é respeitar o outro em sua integridade, é colocá-lo no colo, não importa onde estejam as feridas, é investir na diferença de tal modo que a pessoa se sinta no direito de ser ela mesma, de ter uma cara, um rosto.* Cuidar é fazer que a pessoa não sinta vergonha de si mesma, independentemente de como ela se apresente ao outro. Desrespeitar alguém é tirar dele o direito de se sentir pessoa, de se sentir em comunidade, não obstante qualquer problema que ele possa ter. Se é verdade que o outro me faz face e, por meio dele, me vejo existente, nada me dá mais a sensação de ser o outro para ele do que quando esse outro cuida de mim. Refiro-me a cuidar do outro, mas, por outro lado, estou também tentando dizer que o terapeuta precisa cuidar-se, o que significa dizer tomar conta amorosamente dele mesmo.

Cuidar-me é tentar me ver como um ser de infinitas possibilidades, é olhar para trás e não ter vergonha da caminhada percorrida, é olhar para o horizonte e sentir que minhas pernas podem me transportar até lá e continuar seguindo. *Cuidar-me significa me livrar dos antigos sons que me criam ruídos existenciais, é limpar os olhos de imagens que no passado me quiseram fazer crer que não era ninguém, é banhar-me em águas puras e tépidas e tirar de mim antigas sensações dei-*

xadas por mãos ou pele ou gente que contaminaram meu corpo. Cuidar de si é rebatizar-se em uma nova fé, em uma nova esperança, em um novo amor, é buscar dentro de si a energia que acende novas luzes que iluminam novos caminhos. Cuidar-se pode significar revisitar dores antigas, sofrimentos e angústias que nos fizeram sentir absolutamente sós, mas que se transformarão em força quando pudermos descobrir, em algum momento posterior de nossa trajetória, que somos mais corajosos, bonitos, inteligentes e competentes do que imaginávamos, porque aprendemos a nos fazer sobreviver enquanto percorríamos aqueles difíceis e, às vezes, misteriosos caminhos.

Cuidar de si é também ser capaz de, não obstante nossa dor e nossa fraqueza, estender as mãos para o outro e ajudá-lo na subida para a qual ele sente não ter mais força. Cuidar do outro não pode querer dizer não cuidar de si mesmo e cuidar de si mesmo não pode querer dizer não cuidar do outro. Trata-se de uma relação figura–fundo, parte–todo, em que qualquer dicotomia significará prejuízo para ambas as partes. Assim uma árvore, quando pressente que vai morrer, escolhe um de seus galhos para abandonar e deixa de lhe mandar seiva para que assim possa sobreviver. Ao se sentirem ameaçados, os animais podem cuidar de suas crias até com certa agressividade. A mãe cuida amorosamente do bebê, às vezes misturando leite e sangue, quando a "gulodice" do nenê não lhe dá folga. Cuidar e cuidar-se são aspectos do grande instinto de autopreservação, instinto este que atualizamos pelo cuidado.

Cuidar-se, portanto, significa descobrir em si mesmo as pegadas que a evolução deixou em cada um de nós e colocar os pés nessas pegadas, na certeza de que, na sabedoria do cosmos, nada caminha para a destruição. Fluir e cuidar-se transformam formas existenciais obsoletas em novas possibilidades de caminhadas existenciais. A pessoa humana foi infelizmente definida como animal racional, o que, social, política e economicamente, levou o homem a uma secular discriminação: uns homens ficaram com o racional, outros com o animal. Oxalá possamos redefinir a pessoa humana como um ser ético, como aquele que cuida de si, do outro e do planeta. Nesse tríplice cuidado, o cuidado se plenifica e o homem–mulher se atualiza. Sem uma profunda vivência ética, o cuidado se tornará impossível. Cuidar-se é uma forma ativa de ajustar-se criativamente, na medida em que, seres de relação e em relação no e com o mundo, estamos sujeitos às infinitas possibilidades de influências que chegam até nós por comportamentos conscientes e não-conscientes aos quais o organismo reage como resposta a processos de contatos a que estamos organismicamente expostos.

A TEORIA. A Gestalt-terapia pode ser definida com muita propriedade como Terapia do Contato. E o cuidar, por sua vez, talvez possa ser definido como a essência do contato. Se Gestalt-terapia é terapia de contato e o cuidar é a essência do contato, podemos definir Gestalt como Terapia do Cuidar. Desse modo, a Gestalt-terapia adquire imediatamente um caráter ético e de cidadania. Torna-se política, no mais puro sentido da palavra, e preenche o caráter holístico de totalidade, rompendo a separação cliente–terapeuta, humanizando-se na relação pessoa–pessoa, uma vez que não distingue mais o curador de quem é curado. Esse existencial cuidado torna-se um transcendental, pois a redefinição de Gestalt como um processo de cuidar dá-lhe uma diferença específica, por meio da qual a natureza da Gestalt se torna necessariamente relacional. Tal perspectiva coloca a Gestalt, prioritariamente, numa abordagem do coração, mais do que do pensamento ou da ação, porque cuidar é um fazer que – embora nasça também do lado cognitivo – não busca nenhum tipo de efeito. Antes, busca da parte do cliente a sensação, nova talvez, de ser pessoa. Acredito que os conceitos de *ajustamento criativo*, *contato*, *diálogo*, *presença* e *mudança paradoxal* podem ajudar no trabalho terapêutico, quando a questão for **cuidado**.

A CLÍNICA. A constituição de um processo mental em desequilíbrio obedeceu, entre outros, à falha de dois processos básicos: o de auto-regulação organísmica e o de ajustamento criativo. Ninguém adoece conscientemente porque quer; afinal, a doença é, quase sempre, um processo precário de equilibração, no qual a equalização e a centragem ocupam um lugar importante. Os bloqueios do contato saudável ocorrem porque a pessoa ficou sem saída, porque não consegue ver outros caminhos, tornando-se a doença uma saída inteligente do organismo a fim de lembrar à pessoa que existe nela uma parte que está preservada e pedindo socorro. O terapeuta é aquele que mantém o foco na pessoa, cuida dela e não da doença. Daí o cuidado que deve ter em não remover, pura e simplesmente, mecanismos de defesa da angústia e da ansiedade que o cliente construiu para poder continuar vivo. Ele cuida da pessoa tornando-se presente a ela, incluindo-se em sua dor, em seu desespero, em sua desesperança, sem, porém, perder seu próprio centro de referência. Ele cuida tentando compreender, científica e tecnicamente, o que está acontecendo com seu cliente e o porquê de ele não conseguir abandonar suas defesas protetoras. Quando o cliente percebe que o terapeuta está inteiro com ele, começa a se ver como um ser de possibilidades – e, aí, a mudança pode ocorrer.

DIÁLOGO

Diálogo, encontro humano por intermédio da palavra. Palavra, instrumento que transporta o ser de uma pessoa para outra, permitindo que o encontro aconteça. Palavras feitas de sons, que transportam o significado das coisas, permitindo que a comunicação se faça inteligível e compreensível. Palavra que une e separa, que contém e descreve, que encontra e desencontra, permitindo às pessoas poder organizar o mundo à sua volta. *Palavra própria do humano, que o distingue de todas as outras criaturas do universo. Diálogos interno e externo, ambos feitos de palavras, que dizemos para nós mesmos e para os outros.*

Diálogo interno é aquele mediante o qual, por aproximações lógicas, caminhamos à procura das melhores soluções. É uma fala expressa sem sons, como a essência pura dos processos, em que todas as possibilidades se tornam viáveis, porque os interlocutores internos estão protegidos das censuras dos outros – embora, muitas vezes, tenhamos medo de nossas próprias palavras não faladas. *De fato, somente quando aceitamos nossos diálogos internos, estamos preparados para pronunciá-los, para deixá-los sair a campo aberto à procura do outro.* Existem diálogos internos profundamente sentidos, sobretudo aqueles que acreditamos não poderem ser co-divididos. Nestes casos, os nossos ajustamentos criativos se tornam nossos melhores instrumentos de auto-regulação, na medida em que o corpo nem sempre encontra forças e energia para lidar com as produções da mente, que é sempre mais livre, mais fluida, porque mais sutil. Entretanto, é do diálogo mental que nascem nossas melhores produções, sejam elas estéticas, artísticas ou de produção externa.

Nossos **diálogos externos** estão em íntima conexão com nossos diálogos internos, talvez aqueles sejam reflexos destes. Somos animais racionais ambientais e nosso diálogo externo se reveste desta tríplice dimensão. *Nossas palavras emanam ora da nossa animalidade, ora da racionalidade, ora ainda da nossa ambientalidade.* Às vezes, apenas falamos, sem que nos interessem as respostas; em outras, falamos somente com respostas, cujas perguntas não foram feitas; e, por vezes, perguntamos e recebemos respostas que igualmente nos chegam desses três níveis que outros também possuem.

O mais complexo destes diálogos, contudo, é aquele que travamos com o mundo, como tal, porque o universo sempre responde às perguntas que fazemos, mas é nossa subjetividade que dará sentido e significado às suas respostas. Nossos diálogos externos são um resultado de nossas identificações projetivas e introjetivas com o mundo. Perguntando, respondendo ou ficando calados, estamos sempre em diálogo, pois é a palavra interna ou externa que nos dá a possibilidade de nos encontrarmos com o outro. O outro, perguntando, respondendo ou ficando calado, nos traz possibilidade de criar, de fluir, de ampliar horizontes, uma vez que é ele quem nos dá a conexão com nossa própria existência. *Diálogo é entregar minha palavra para o outro e receber a dele, sabendo que a única coisa que torna duas pessoas iguais é a aceitação da diferença existente na presença viva de ambas. Diálogo é o respeito pela diferença, e é a palavra o instrumento que transporta o ser de um para o outro, tornando possível, assim, a comunicação. Diálogo não é aceitar ou negar a palavra do outro, dialogar é aceitar que o outro tem o direito de ser diferente de mim e somente a palavra do outro aceita e experienciada pode tornar as diferenças iguais*. É neste sentido prático que a Gestalt-terapia pode ser definida como uma terapia dialógica, isto é, uma terapia que faz do diálogo seu principal instrumento de encontro consigo, com o outro e com o mundo. Patologias nascem de diálogos internos inacabados, interrompidos, nascem do desencontro de palavras com sentimentos – apenas percebidos, mas não experienciados –, nascem de diálogos com o outro, diálogos nascidos apenas da razão, sem a chancela do coração. Diálogo é encontrar e encontrar-se, pois, do contrário, tornar-se-á apenas palavras lançadas ao vento.

A TEORIA. É possível definir Gestalt como terapia do contato, e não se pode pensar em contato sem pensar em diálogo e vice-versa. Tanto um quanto o outro nascem primeiro de estruturas mentais para, em seguida, ser operacionalizados pela experiência vivida. O diálogo interno, entretanto, precede ao contato, porque sem ele dificilmente surgirá o contato entre duas pessoas. Cliente e terapeuta só entram em contato após uma reflexão dialógica interna e recíproca. Esta é a razão por que a Gestalt-terapia pode ser definida como uma terapia dialógica: o encontro é primeiro intra-subjetivo e somente, num segundo momento, intersubjetivo. Se os interlocutores não encontram razões mentais para que o encontro ocorra, o contato não se dá, morre mentalmente antes de ser operacionalizado. O diálogo não ocorre nem lá nem cá, ele ocorre *entre* duas palavras que transportam, de um lado para outro, o ser dos interlocutores. O diálogo ocorre, sobretudo, quando os interlocutores têm a sensação de que cada um está inteiro no que diz, pois é a totalidade de cada um que deve estar em causa, ambos percebendo que não existe entre eles uma reserva interna, visando surpreender o outro em sua palavra. Quando os interlocutores percebem que na comunicação existem parte **e** todo, ou seja, que as pessoas não se entregam, nem o diálogo nem o encontro se dão. Se, porém, percebem que o diálogo é uma relação parte–todo, ambos se encontram, porque sentem que não se está trocando a parte pelo todo e muito menos que não existe uma totalidade falsa em causa. Os conceitos de *ajustamento criativo*, *contato*, *cuidado*, *figura–fundo*, *polaridade*, *parte–todo* e *presença* poderão ajudar muito na compreensão de uma situação vivida na qual o encontro está sob ameaça.

A CLÍNICA. Todo trabalho clínico é decorrência da capacidade do terapeuta de dialogar, o que significa colocar todos os seus sentidos a favor de uma escuta calma e amorosa. O cliente não falará, não se dará na palavra ao terapeuta, se perceber que pode ser julgado por ele. Assim como o cliente fala a partir de um diálogo interno, também o terapeuta intervém a partir de seu próprio falar interno. A qualidade do contato entre cliente e terapeuta dependerá da qualidade interna dos diálogos que ambos, no mistério de seu ser, produzem silenciosamente. Dizemos que a terapia não anda e não andará, especialmente, se o terapeuta apresentar uma atitude externa de encontro e de contato, mas internamente estiver preso a seus *a priori* cognitivos, emocionais, motores, de tal modo que sua palavra não transmita, de fato, todo seu sentir, levando o cliente a perceber que o terapeuta não está inteiro em sua relação com ele. Isso não significa, absolutamente, que o terapeuta precise falar de tudo que sente ou pensa. O cliente sabe que a terapia não funciona assim e nem espera isso da relação terapêutica. Com o passar das sessões, entretanto, ele vai aprendendo a distinguir quando a alma e o coração do terapeuta estão com ele, ou se apenas estão centrados em cima de uma técnica, de uma hipótese silenciosa ou de uma teoria que não justifica aquele aqui-agora dos dois. É um engano pensar que só o cliente está em terapia, pois ambos estão nela. Mais que em qualquer outro lugar, vale o provérbio: "Bom mestre, melhor discípulo". A verdade do terapeuta emana de seus olhos, de seus gestos, de seu corpo, e a totalidade necessitada do cliente adquire extrema sensibilidade para se auto-regular por intermédio do terapeuta. Isso se chama também ajustamento criativo dialógico.

EXPERIMENTO

Toda teoria psicoterápica tem um ponto forte e específico que a distingue das demais. A Gestalt-terapia, como permissão para criar, encontra na possibilidade de experimentar uma de suas particulares riquezas metodológicas. *Não falo do experimento em si, como um saca-rolhas para descobrir o que não se vê.* Refiro-me à arte de experimentar, pois, na vivência de um experimento, o cliente é o experimento vivo, um corpo–pessoa, e nada pode ir além dele, nem levá-lo para além dele mesmo. O experimento precisa ser a expressão viva da dimensão de contato que o cliente pode fazer com ele mesmo no mundo, naquele momento. *Quando um experimento ultrapassa a capacidade do cliente de perceber o que está acontecendo com ele, deixa de ser um processo pedagógico para ser um momento de violência, e não falamos de violência, falamos de contato criativo, no qual o cliente se torna seu próprio instrumento de trabalho.*

Mais uma vez, a fim de oferecer novos elementos à compreensão do conceito em questão, reproduzimos três trechos de importantes obras sobre a Gestalt-terapia.

O experimento, em Gestalt-terapia, é uma tentativa de fazer frente à paralisação periférica através da mobilização do sistema de ação do indivíduo. Através do experimento, ele é levado a confrontar as emergências de sua vida ao representar seus sentimentos e ações abortados, numa situação de relativa segurança, e onde a exploração ousada pode ser apoiada [...]. O experimento não deve se transformar num paliativo ou substituto para um compromisso válido [...]. O experimento não é nem um ensaio para alguma coisa futura, nem uma repetição de alguma coisa passada.[17]

A terapia gestáltica é realmente uma permissão para ser criativo. Nosso instrumento metodológico básico é o experimento, uma aproximação condutista para o surgir de um funcionamento novo. [...] O experimento visa ao coração da resistência, transformando a rigidez em um sistema elástico de apoio. [...]
O experimento é a pedra angular da aprendizagem por experiência e tem as seguintes finalidades: 1 – expandir o repertório de condutas da pessoa; 2 – criar aquelas condições em que a pessoa possa ver sua vida como uma criação sua; 3- estimular a aprendizagem experimental da pessoa e a elaboração de novos conceitos de si mesma a partir de criações no plano do comportamento; 4 – completar situações inacabadas e superar bloqueios no ciclo de consciência-excitação-contato; 5 – integrar compreensões intelectuais a expressões motoras; 6 – descobrir as polarizações das quais não se tem consciência; 7 – estimular a integração de forças pessoais em conflito.[18]

Citando esses dois mestres de cuja autoridade não se pode duvidar, creio que não é preciso acrescentar nada mais em defesa da utilização de experimentos como um método de facilitação da ampliação de consciência dos clientes. Na verdade, estamos sempre em algum tipo de experimento, expressamo-nos por meio de experimentos, seja fazendo, não fazendo, falando, ficando em silêncio. O gestaltista pode, perfeitamente, conduzir sua sessão no modelo psicanalítico, uma "terapia pela fala" – como dizia meu amigo e colega de departamento Richard Bucher –, pois um gestaltista que não conseguisse dispensar o que aqui chamamos experimento não saberia fazer Gestalt-terapia. *Os experimentos são uma opção metodológica e não uma obrigação. Esse tipo de Gestalt já ficou para trás há muito tempo.*

Viver é experimentar sempre, e não haveria nenhuma razão para que a sessão de terapia fosse algo diferente daquilo que ocorre na vida. A sessão de terapia é um experimento, competindo ao terapeuta acrescentar outros, se assim o desejar e se for o caso, facilitando situações nas quais a pessoa possa se expressar em um nível de maior vivência de sua consciência emocionada e talvez até mais criativamente. *Gestalt é permissão para experimentar a dois, a três, em grupo, sem esquecer que o limite do experimento é a ética, a não-violência, a não-invasão, e é nesta dimensão de respeito pela privacidade, pelo limite e suporte interno do outro que o experimento tem lugar.* Ao mesmo tempo, é bom lembrar que, embora o experimento tenha limites, também representa um momento de expansão das possibilidades reais do outro. *Falamos de cadeira vazia, de fantasia dirigida, de cadeira quente, de trabalho de e com o corpo, de trabalho com sonhos e outros, que tanto em trabalhos individuais quanto de grupo proporcionam ao cliente e ao terapeuta uma possibilidade rara de se expressarem com gestos que refletem melhor a pessoa por inteiro.* Podemos perfeitamente trabalhar sem o uso de experimentos formais, mas usá-los nos permite ver o cliente acontecendo e se reconhecendo como sujeito de seus próprios objetos introjetados.

A TEORIA. O uso de experimentos é largamente difundido, a ponto de haver gestaltistas que não aceitam clientes que julgam não ter suporte interno para trabalhar com experimentos. Este é um pólo. Do outro lado, estão aqueles que não trabalham com experimentos, por considerá-los invasivos, afirmando que esses instrumentos não se enquadram dentro de uma visão de trabalho fenomenológico. Cada um é livre para fazer o que mais lhe parecer adequado metodologicamente. Acreditamos, entretanto, que as duas posturas são muito semelhantes, pois ambas desconsideram o cliente, ao encerrarem em si a certeza de que seus autores sabem o que é melhor para eles, deixando aí de ser fenomenológicas. Ambas as posições, embora opostas, terminam trabalhando com o conceito aristotélico de causa e efeito, criando metodologicamente uma postura determinista, portanto antifenomenológica.

Vimos, anteriormente, sete razões para trabalhar com experimentos. Acreditamos que elas expressam pistas de trabalho, que podem ser usadas ou não, dependendo da necessidade ou conveniência do cliente. Podem facilitar um trabalho mais integrado entre o sentir, o fazer, o pensar e o dizer, dando ao terapeuta e ao cliente a sensação de estarem levando seu barco a um porto mais certeiro e mais seguro. Neste trabalho, os conceitos de awareness, *contato*, *ajustamento criativo*, *bloqueio*, *formação e transformação de figura*, *necessidade* e *presença* podem ajudar muito numa boa condução do **experimento**.

A CLÍNICA. Os experimentos são excelentes instrumentos de trabalho. Não precisamos trabalhar somente com eles, mas podemos usá-los com grande proveito para os clientes. Deve ficar claro, porém, que esta área não permite improvisação, uma vez que experimentos mexem com níveis sutis de emoções e vivências dos clientes, níveis nos quais remendos não são permitidos. Como intervenções mentais, os experimentos têm de ser o mais apropriados possível, executados com extrema habilidade e com a total aquiescência do cliente, já que este não é um trabalho apenas do terapeuta, mas de duas pessoas, entregues uma à outra, na mais perfeita e harmoniosa experiência. Assim como ambos devem estar de acordo para começar um experimento, eles também devem concordar quando terminar ou interromper um trabalho. É muito importante, após um trabalho, verificar como está o sistema de contatar do cliente, pois pode acontecer de ele apresentar dificuldade em retornar com tranqüilidade ao lugar de onde partiu sem a ajuda do terapeuta. Experimento não significa experimentar, mas dar-se a oportunidade de criar pelo diferente, e, como muitos de nós não se sentem bem saindo da rotina, o experimento precisa respeitar a singularidade de cada pessoa.

ESSÊNCIA E EXISTÊNCIA – ESSÊNCIA-EXISTÊNCIA

ESTAMOS, DIANTE da realidade, abertos para a percepção do que ela nos apresenta. Os sentidos são os órgãos da percepção e por meio deles apreendemos o universo à nossa volta. Neste contexto, nada vai ao intelecto sem antes passar pelos sentidos. Contudo, existe um segundo momento no qual reconheço, interna e cognitivamente, o objeto apreendido por meus sentidos. É aí que dou nome à realidade apreendida. Após ver uma flor, digo "rosa", após ver uma criança, digo "criança". Se, porém, nunca vi uma rosa ou uma criança, depois de vê-los pela primeira vez, meu intelecto pára, busca todas as idéias impressas a fim de identificar o objeto dado e, aí, o reconhece, fica na dúvida ou, simplesmente, não o reconhece. Neste último caso, os sentidos detectaram a existência do objeto, mas o intelecto não intuiu sua essência. *A realidade é, assim, constituída de essência e existência. Podemos identificar a existência com o que chamamos de a-coisa-em-si, a coisa como tal – uma rosa é uma rosa, uma casa é uma casa. E podemos identificar a essência com o em-si-da-coisa, aquilo que a coisa é para mim naquele momento – isto é, não só é uma rosa em si, como é uma rosa para mim.* Podemos chamar essa essência de essência segunda, na medida em que percebida por mim por intermédio de minha subjetividade. No entanto, a essência primeira é, simplesmente, a identificação do objeto fora de mim com a idéia impressa do objeto em minha mente. Deste modo, uma vez captada a rosa como rosa, definida como rosa, sua essência foi captada pelo intelecto, independentemente do significado que ela possa ter para mim. Novamente, estou diante da realidade como essência e existência. A essência de algo é aquilo que é e não pode não ser. Uma rosa para ser uma rosa tem de ser uma rosa e não pode não ser uma rosa, uma vez que percebida. De uma maneira simples, quando definimos um objeto, nominamos sua essência. Denominar um objeto é declinar, intuitiva e mentalmente, sua totalidade.

Quando captamos a totalidade de algo, captamos sua essência como algo percebido, naquele instante, por minha mente. Mais tecnicamente, é possível afirmar que captar a essência de algo é captar seu gênero e sua diferença específica, o que constitui a essência básica do ser. O homem, por exemplo, tem como característica ser do gênero animal e têm como diferença específica ser racional e ambiental. Contudo, um homem é muito mais do que um animal racional. A essência de algo me dá um universal, uma redução eidética, mas é pela existência, aqui e agora percebida como uma totalidade, que atinjo a essência como um todo, ou seja, uma redução transcendental, na qual, por meio de elementos existenciais, este homem se torna único e singular no universo. *Assim, essência e existência estão acopladas aqui e agora, diante de um dado percebido, uma não podendo ser pensada sem a outra.*

De outro lado, uma coisa só pode ser pensada se ela for possível, se possuir uma existência ontológica. Neste sentido específico, a essência precede ontologicamente a existência, ou seja, um ser para existir precisa ser ontologicamente possível, e a existência é função da essência, pois não se pode pensá-la em estado puro, em si, separada de sua essência. *Enquanto a essência é fruto de um puro ato mental, a existência, que também pode ser pensada ontologicamente, precisa, num segundo momento, de seus existenciais – tamanho, cor, cheiro, distância, peso – para ser visualizada, já que são os elementos que nos conduzem à essência das coisas.* Assim, do ponto de vista ontológico, podemos pensar essência e existência como essência e existência, porém, do ponto de vista da percepção cognitiva, aqui e agora, não podemos pensá-las separadamente, precisando pensá-las como essência–existência, tendo em vista que separadas, neste caso, são uma mera abstração.

A TEORIA. Podemos pensar essência e existência como podemos pensar essência–existência. Quando pensamos essência e existência, separamos a essência de algo de seu modo de existir. Ao dizer "casa", estou diante de uma essência universal que se aplica a todas as casas que, de alguma forma, podem ser identificadas como casa. Ao dizer "esta casa", esta singularidade individualizada me dá a existência da casa. É possível funcionar em um nível abstrato e "ver" cognitivamente a casa, bem como, na prática, pode-se também identificar uma casa cujos elementos existenciais nos permitem separá-la de outra. Quando falamos de essência–existência estamos aludindo a uma única realidade percebida. Não se trata de dois momentos, em que um ocorre primeiro, mas da realidade sendo apreendida como uma totalidade que chega por inteiro à consciência. Essência–existência, aqui-agora, parte–todo, figura–fundo são realidades relacionais nas quais a relação intrínseca de um conteúdo com outro cria a percepção de totalidade. Podemos viver a experiência interna de cada um destes construtos, enquanto pensamos e vemos a realidade de algo que denomino essência e existência, por exemplo. Contudo, viver a experiência interna da relação essência–existência é se perceber a si próprio nas mesmas condições e se expressar como resultado dessa complexa rede de contatos que constroem a realidade. Embora teoricamente possamos pensá-las em separado, fazer isso é desfazer a intrínseca unidade que todos os seres apresentam a fim de ser reconhecidos – essência e existência não podem ser pensadas como se uma fosse causa da outra. Mas talvez seja possível afirmar que, ao pensar essência–existência, pensamos em uma metafísica co-causa, geradora de sentidos, que nos permite chegar às coisas mesmas.

A CLÍNICA. Ao identificarmos algo, identificamos sua essência por meio de sua existência. Assim, é a existência que manifesta a essência das coisas e das pessoas. Quando um cliente chega ao consultório, apresenta sua existência e, através de seus existenciais, podemos, de algum modo, intuir a pessoa que ele é. Talvez pudéssemos perguntar se os problemas da existência, os sintomas, por exemplo, afetam também a essência. A resposta é necessariamente positiva, pois não podemos pensar essência separada de existência. Não estamos falando de essência como um universal abstrato, mas daquilo que constitui nossa individualidade singular. Assim, atitudes e comportamentos que procedem de nossa existência afetam, ao mesmo tempo, nossa essência, como no movimento de um pêndulo, em que nosso centro recebe sua energia tanto da ida quanto da volta. Quando a experiência interna de nossa existência é sofrida, quando perdemos seu sentido por falta de horizontes que nos norteiem, a grande caminhada terapêutica terá de passar pelas perguntas: quem sou eu? o que quero? para onde caminho? Ou seja, passar por um retorno aos existenciais que influenciam e orientam nossa essência mais íntima. Às vezes, o cliente diz: "Não sei nem mesmo se existo, apesar de estar aqui". Tornar-se consciente deste "estar aqui" é o começo do retorno à própria casa, cujas portas ou estão fechadas para o mundo ou de tal modo escancaradas que o sujeito não discrimina mais quem entra ou quem sai. Tomar consciência da própria existência é tomá-la, de novo, pelas mãos e vislumbrar o caminho de volta à própria essência, única realidade que pode ressignificar a vida.

FENÔMENO

Perguntei-me, seriamente, se colocaria a categoria "fenômeno" neste *vade-mécum*, por se tratar de um termo de extrema complexidade. Ao mesmo tempo, sei que a palavra não sai da boca dos gestaltistas, em razão de sua intrínseca ligação com a fenomenologia. Tentarei simplificar ao máximo. O *Dicionário Houaiss da língua portuguesa* (2001) assim descreve "fenômeno":

> Apreensão ilusória de um objeto, captado pela sensibilidade ou também reconhecido de maneira irrefletida pela consciência imediata, ambas incapazes de alcançar intelectualmente sua essência. [...] Kantismo: objeto do conhecimento não em si mesmo, mas sempre na relação que estabelece com o sujeito humano que o conhece e, portanto, captado segundo a perspectiva das formas a priori de intuição (espaço e tempo) e categorias inatas do intelecto.

Em seu *Dicionário de filosofia* (2000), Abbagnano, depois de refletir a posição de diversos autores, sobretudo Husserl e Heidegger, descreve "fenômeno" com três significados:

> 1 – Aparência pura e simples (ou fato puro e simples, considerada ou não como manifestação da realidade ou fato real). 2 – Objeto do conhecimento humano, qualificado e delimitado pela relação com o homem. 3 – Revelação do objeto em si (o em si da coisa e a coisa em si se confundem).

Resumindo: *o fenômeno é a aparência sensível que "chega" até nós, "chega" entre aspas porque, (dizem os filósofos) ora o fenômeno é a realidade percebida, ou seja, uma manifestação da realidade, ora ele se contrapõe ao fato, porque o dado per-*

cebido não é idêntico à realidade captada pelos sentidos. Assim, o que vemos pode, de fato, ser o que vemos – uma rosa vista é uma rosa vista – e também pode não ser, uma vez que não conseguimos captar a realidade em sua totalidade. Uma rosa não é toda sua totalidade, na medida em que uma rosa só é uma rosa porque vista como rosa; no entanto, a realidade global da rosa inclui a rosa, enquanto percebida, bem como o observador, pois sem ele a rosa não existiria. Deste modo, *não conseguimos ver a "alma" das coisas, mas apenas sua aparência. Não tocamos a essência dos objetos, dos fatos, mas apenas sua existência.* Espaço e tempo nos deixam na periferia das coisas. Heidegger, por sua vez, insiste em ver o fenômeno como o aparecer puro e simples do ser em si e o distingue da mera aparência; afirma, portanto, que a essência das coisas se revela por sua aparência. Realmente, soa contraditório dizer que a aparência da coisa não tem um impulso de revelar a natureza e a essência da coisa em si, ou, pior ainda, que o intelecto humano esbarra, necessariamente, na aparência, não podendo conhecer o ser da coisa como se, de fato, a aparência fosse maior que o dado que ela revela. *Negando essa relação ontológica entre a aparência da coisa e a coisa em si, introduz-se uma dicotomia que torna o conhecimento impossível.*

Uma coisa é estar diante de um objeto, sensação, ou fatos nunca vistos ou sentidos – e, neste caso, não temos nada a fazer senão pararmos diante da pura aparência da coisa observada –, outra é estar diante de uma casa que pode perfeitamente ser apreendida pelas idéias impressas do intelecto como casa. Poder-se-ia dizer que mil pessoas, olhando para uma casa, vêem mil casas diferentes. Aquele específico sujeito que olha uma casa vê uma casa, e a essência dela para ele se constitui em um único dado. De algum modo, é a aparência da casa percebida pela intuição que fornece a essência da casa. A questão maior é: existem mil aparências do que pode ser uma casa, mas todas terão uma única essência, o universal casa. A aparência visual da casa é diferente do que se mostra ao sujeito, internamente, como um sentido e um significado do que é casa. A distinção do que é a coisa em si e o em si da coisa pode criar um impasse cognitivo se separamos essas duas percepções cognitivas. Vistas operacionalmente, porém, tornam-se oportunas, porque, de fato, o que vemos, sentimos e ouvimos é muito menos do que aquilo que guarda a realidade contemplada.

A TEORIA. Fenomenologia, como método, é um instrumento de trabalho que nos permite ver um objeto e descrevê-lo como chega à consciência. Tal processo passa, primeiro, pelos sentidos, pois são eles que nos permitem descrever a realidade, para só então o intelecto proceder a uma redução que nos traz a essência do objeto observado. Trata-se, portanto, de uma experiência sensoriocognitiva, aqui e agora, neste tempo e neste espaço. Assim, estamos sempre diante de fenômenos cujas características ou aparências nos colocam em contato com a essência das coisas. O fenômeno, enquanto a coisa-em-si, é uma simples e pura aparência e, enquanto um em-si-da-coisa, é um objeto para minha consciência, que o qualifica e delimita em função da relação que a realidade estabelece no encontro humano. A coisa-em-si nos revela a existência do objeto observado, o em-si-da-coisa nos dá sua essência, como uma redução transcendental, no sentido de que até a essência de qualquer ser é essência particularizada pela observação daquele sujeito específico. Não temos acesso à essência em estado puro, a não ser como um ato de pura cognição, mas, neste caso, saímos do método e vamos para a filosofia. Acredito que os conceitos de awareness, *aqui-agora*, *campo*, *contato*, *presença* e *self* podem ajudar a entrar na compreensão do que significa **fenômeno**.

A CLÍNICA. O cliente é um fenômeno, uma aparência pura e simples, e este é o primeiro e talvez o mais importante momento no e do processo terapêutico. Ele é ele, pura e simplesmente. Este momento inicial do encontro é de suspensão de qualquer pré-saber. Cabe a ele, primeiramente, o desvendar para si do mistério de sua totalidade, depois para o terapeuta. O fenômeno é a totalidade vista, observada e sentida aqui-agora. No cliente, como um dado para minha consciência, não se pode separar a coisa-em-si do em-si-da-coisa, mas, lentamente, na razão em que ele vai revelando e descrevendo a coisa-em-si, vai também percebendo a essência do que é e do porquê de ele estar ali. Não existe fenômeno como fenômeno, e não existe cliente como cliente, isto é, não existem fenômeno e cliente em estado puro. Fenômeno e cliente se tornam fenômeno e cliente, apenas quando observados, ou seja, quando dentro do campo relacional de observação do sujeito que observa. O terapeuta é um facilitador deste processo relacional, nada mais que isso. Daí a importância de o terapeuta desenvolver o dom da escuta amorosa, que permitirá ao cliente ouvir-se cuidadosamente, na medida em que é escutando a si mesmo que ele se redescobre como uma nova criatura na relação com o outro, tornando-se ambos um fenômeno vivo, um para o outro.

FIGURA–FUNDO – FIGURA E FUNDO

Esses conceitos nos remetem à complexa questão da percepção e da intencionalidade, pois não captamos o que vemos e percebemos como necessariamente o que vemos e percebemos. Vemos a realidade apenas com os olhos do rosto e da mente, restando toda uma realidade que transcende à normal percepção. Esses conceitos, portanto, têm relação tanto com o que percebo quanto com o modo como percebo, e, porque a realidade é um puro fenômeno para o sujeito que a percebe, tendemos a ultrapassá-la, atribuindo-lhe um significado que está além dela, constituindo assim uma totalidade para mim. *A maneira pela qual transformo um fenômeno-em-si em um em-si-do-fenômeno está relacionada às necessidades internas pelas quais defino o modo como me aproximo da realidade.* Ora me aproximo da realidade por suas partes, ora me aproximo de uma totalidade, enquanto percebida e que faz sentido para mim. Figura e fundo formam uma relação de complementaridade de tal modo que, na relação parte e todo, um não pode ser concebido sem o outro – embora, do ponto de vista da percepção, ou vejo uma parte ou vejo outra, vendo uma nitidamente e a outra desfocada. Esses dois conceitos podem ser experienciados de duas maneiras.

Quando digo figura–fundo, refiro-me a uma relação de reciprocidade, na qual não se distingue o que é fundo do que é figura. Estamos diante de uma realidade vista sob o prisma de um único olhar. Falamos de uma realidade na qual sujeito e objeto se incluem recíproca e dinamicamente. Existe uma interdependência tal entre o observador e a coisa observada que não se pode afirmar que um é causa do outro, conquanto talvez se possa dizer que um é ocasião para que o outro emerja de uma totalidade circunstante. O olhar do sujeito está em questão, não a realidade fora dele. É como um processo contínuo de espaço–tempo, no qual o sujeito não se distingue do objeto e no qual figura–fundo–sujeito formam uma única realidade. *Aludimos a uma inclusão perceptiva do sujeito no objeto observado, de um mundo holístico, no qual tudo influencia tudo e não se sabe, ontologicamente, o que é causa e o que é efeito.* Simplesmente percebemos as coisas num fluxo teleológico, como um instinto para a unidade – que é onde a essência se encontra –, permitindo à realidade, num segundo momento, se dividir para depois se reunir de novo, num processo evolutivo e criador que não pára jamais. Sujeito e realidade formam um só composto e se incluem reciprocamente. Aluno–professor, não se sabe quem é figura e quem é fundo. Um não existe sem o outro, um é função do outro e a necessidade aponta para uma relação criadora e não para uma divisão, pois ambos são percebidos sob o prisma de um único olhar. *Quando, entretanto, digo figura e fundo, falo de dois processos que se alternam, no qual ora um, ora outro se mostra ou se revela ao sujeito como uma possibilidade de inclusão perceptiva.*

Quando menciono figura e fundo, professor e aluno, refiro-me a duas coisas distintas que podem ser pensadas separadamente, dependendo do contexto de ambos. Posso dizer, por exemplo: o aluno paga muito e o professor recebe pouco. Falamos, então, de dois processos, de duas coisas, embora vistas sob a óptica de uma necessidade que tende a olhar mais um aspecto que outro. Neste caso, a necessidade emerge como figura a partir de um fundo de mil possibilidades, ou o sujeito faz surgir a necessidade com base em um mundo de possibilidades em sua relação com o mundo. *Uma vez satisfeita essa necessidade, ela não desaparece, não é destruída, simplesmente se transforma em outra possibilidade, de tal modo que figura e fundo são, às vezes, fruto de uma única realidade que se transfenomenaliza, que passa da coisa-em-si para o em-si-da-coisa, como fruto da intencionalidade do sujeito necessitante.* Ambos os conceitos, figura–fundo e figura e fundo, são construtos que nos permitem olhar para o dentro e para o fora, um com ênfase mais na relação pessoa–mundo e outro na relação pessoa– necessidade. A realidade é uma só e como tal se apresenta à percepção. É o olhar do observador que faz da realidade figura–fundo ou figura e fundo, dependendo de que ângulo ele se aproxima da realidade, de qual sentido essa realidade tem para ele, naquele dado campo.

A TEORIA. A realidade é figura–fundo e figura e fundo. Assim ela está constituída e nós simplesmente repetimos esse modelo cósmico, introduzindo, porém, nossa subjetividade. O olhar inquieto está sempre à procura do perfeito, da totalidade, embora nossa impotência nos faça deparar sempre com partes e todos, levando-nos a um eterno processo de escolha. Nossas necessidades nascem ou são resultado de nossas procuras e de nossos desejos. Algumas são necessidades inatas, como necessidade de comida, de água, de ser amado, aceito – todas ligadas às necessidades de nos ajustarmos criativamente, de nos auto-regularmos. A fim de satisfazer essas necessidades, o ser se predispõe a tarefas mais complexas – indo buscar alimentos onde eles podem ser encontrados. Selecionando, em sua sabedoria organísmica, o que deve vir primeiro, e tendo aprendido o caminho de volta à casa, deixa lá no fundo o que poderá ser utilizado depois. Para trabalhar o organismo e sua necessidade de um eterno retorno a uma cíclica auto-regulação, terapeuta e cliente precisam mergulhar no mundo de sua subjetividade a fim de vivenciar o sentido das coisas, descobrindo na totalidade de cada um o que é figura e o que é fundo. Os conceitos de *ajustamento criativo, aqui-agora, campo, corpo, cuidado, necessidade, parte–todo* e *polaridade* podem ajudar nessa complexa busca.

A CLÍNICA. Somos movidos por nossas necessidades, que, por sua vez, são movidas pelas nossas motivações. Quanto mais motivados por um desejo, mais tendemos a torná-lo necessário. Talvez pudéssemos afirmar que desejos estão ligados à figura e necessidades estão ligadas ao fundo. Querer e poder, desejos e necessidades, são as pedras de toque em que esbarram as neuroses, porque, freqüentemente, não sabemos distinguir um do outro. Transformamos desejos em necessidades, o querer em poder, e, assim, perdemos a perspectiva de limites, o *locus* em que, de fato, as coisas se tornam mais claras para nós. É importante saber a gênese do sintoma, para depois de uma melhor compreensão de sua realidade decidirmos se queremos, momentaneamente, trabalhá-lo como um processo isolado na pessoa, ou se preferimos trabalhar a pessoa como uma totalidade que responde por qualquer parte do corpo. Na verdade, o corpo é indivisível – nenhum órgão tem a reserva da energia –, pois tudo, nele, proclama a existência de milhões de funções conectadas necessariamente umas às outras, e é nesta inter-relação de partes, de figura–fundo, que reside a esperança de sempre se encontrar o caminho da cura. Dentro de uma visão holística do processo terapêutico, desaparece a relação figura e fundo para se constituir uma relação figura–fundo, na medida em que terapeuta e cliente estão mergulhados no mesmo processo, e quase nunca se sabe onde nasce o que está acontecendo, se das necessidades do terapeuta ou do cliente. É nessa misteriosa confluência que terapeuta e cliente perdem seus papéis para se tornar pessoa e pessoa – e é aí que a cura pode acontecer.

FORMAÇÃO E DESTRUIÇÃO DE FIGURAS

FORMAÇÃO E DESTRUIÇÃO de figuras expressam complexas redes de contato que trazem, em seu bojo, a questão da rigidez e da fluidez, no nascer e no constituir das necessidades na natureza. Esse processo se expressa por duas características básicas do movimento evolutivo, impermanência e interdependência, que se fazem e se refazem, cotidianamente, constituindo a existência do cosmo. Existe uma magia no processo administrativo da economia do cosmo, isto é, nada se perde, tudo se transforma; e, como a pessoa humana repete o cosmo, também nela nada se perde e tudo se transforma. Tudo muda e tudo se relaciona com tudo, mas nada, no universo, escapa a essas duas leis, ontologicamente constituintes do ser pelo movimento. *Como um ser vivo, o universo é movimento, e é o movimento que permite ao cosmo atualizar-se a cada instante. Pensamos holisticamente o universo, isto é, como um ser formado de todos, de totalidades que, em séries, permitem ao universo evoluir pela relação que essas séries estabelecem entre si e, movidas pelo instinto teleológico do universo, transformam-se em criadoras da realidade.*

Deste modo, pensando holisticamente o universo, sabemos que, no cosmo, nada se perde, tudo se transforma, e que, na lei da evolução, materiais que saem, se perdem ou são retirados de uma série evolutiva são aproveitados por outras ou dão início a uma nova série. Por isso, é difícil pensar gestalticamente em "formação e destruição de figuras". Em um primeiro momento, figura é um fenômeno, é aquilo que aparece, que salta aos olhos para nossa observação, algo que vem de fora, que arrebata o olhar, às vezes, independentemente de nossa vontade; e, num segundo, figura é aquilo que surge dentro de nós de um fundo indeterminado, fruto de uma necessidade emergente. Surge, cumpre sua determinação, completa seu ciclo e se retira da observação ou da necessidade agora satisfeita do sujeito. É nossa percepção que transforma um fenômeno em figura. *Existe em nós um instinto de completude – fazendo-nos lidar mal com o inacabado –, e é nossa necessidade, fruto da intencionalidade, que escolhe e transforma em figura aquilo que preenche nossos vazios e nossos incompletos.* Ser figura é uma opção do organismo, que sempre sabe o que quer e o de que precisa. Pela lei da impermanência, este fundo, este caos de infinitas possibilidades, está sempre preparado para se atualizar mediante um novo ato criador que dá vida à figura, tornando-a realidade.

Escolher é, de um lado, criar algo para si próprio e, de outro, dar existência a algo que, no caos ou no fundo, permaneceria apenas como mera possibilidade de ser escolhido, de se tornar um objeto para uma pessoa. *Existe, portanto, nesta expressão "formação e destruição de figura", um equívoco, tanto a partir de uma visão da Psicologia da Gestalt, na qual figura é relacionada com fundo e ambos são dinamicamente relacionais, ou seja, não se destrói um sem destruir o outro; quanto do ponto de vista da teoria holística, por meio da qual a figura nasce da necessidade cósmica de um fundo ou de um caos permanentemente à procura de uma atualização, como também da teoria do campo, uma vez que qualquer modificação em um dos elementos do campo reconfigura todo o campo, sem o destruir.* Gestalticamente, não se pensa que uma coisa possa ser destruída, pois a destruição é a ruptura das leis que regem o todo.

Tratamos radicalmente o conceito de destruição de figuras porque, quando se separa figura do fundo ou o conceito de figura do conceito de fundo, dá-se à figura uma existência ou propriedade que ela não tem, posto que sua destruição acarretaria, necessariamente, a destruição do fundo. *Essa questão tem duas vertentes: a primeira é ver o conceito, ora apresentado, apenas do ponto de vista da pura percepção, e a segunda, ver o conceito como relacional, como resultado de uma necessidade interna do sujeito que sente. No primeiro caso, visamos à percepção da coisa simplesmente percebida – é a noite figura ou é o dia, é o grande figura ou é o pequeno, é o belo figura ou é o feio –, perguntando-nos se uma coisa é figura porque sua existência se define por oposição ao seu contrário, como: é graças à noite que o dia existe, graças ao belo que o feio existe, graças ao pequeno que o grande existe. Já na segunda vertente, a mesma pergunta passa a ser relacional, noite e dia deixam de ser simplesmente objeto de uma pura percepção para se tornar significados de uma escolha que tem atrás de si uma necessidade.* Neste caso, a noite comparada ao dia, a fome comparada à abundância, "deixam" de ser noite ou dia, fome ou abundância, para ser algo para o sujeito. É o sujeito que nomina, agora, o objeto, fruto de sua percepção, transformado em necessidade, em figura. Deste modo, figura deixa de ser uma coisa em si, um mero fruto de uma percepção, para ser aquilo que o sujeito sente como necessidade sua. Observamos que uma das qualidades mais importantes de uma Gestalt é a necessidade imperiosa que possui de se fechar, de completar-se. *O conceito, como vem sendo definido, coloca a palavra "figura" ora como uma questão estética, ora como resposta a uma necessidade, ora como uma polaridade.* Sendo assim e pensando radicalmente, isto é, a partir das teorias de base da Gestalt-terapia, sugerimos que o correto é dizer *"formação e transformação de figura",* pois essa expressão respeita a dinâmica processual tanto da figura quanto do fundo, sempre disponíveis para o surgimento de uma nova forma.

A TEORIA. O ser humano lida mal com o inacabado, com o incompleto, por isso, seguindo o instinto teleológico do universo, também ele quer completar seu sentido, quer ver seus desejos realizados. Daí dizer que toda Gestalt almeja fechar-se, completar-se. A expressão "destruição de figuras" é inadequada porque, mesmo depois de completar sua necessidade, o organismo continua aberto para completar mais ainda aquela mesma necessidade, só que agora em outro nível. Vamos além do princípio aristotélico da causa e efeito, ou de que, retirada a causa, cessa o efeito. A causa, cessado o efeito, deixa de ser causa de todos os efeitos que, por acaso, venham a ocorrer, passando a ser mera ocasião e não mais causa eficiente. Cessa assim o efeito, como tal, embora as conseqüências do efeito provocado pela causa continuem ao infinito. A ocasião, por sua vez, termina por produzir os mesmos efeitos da causa, só que ela não é a responsável pelo que aconteceu. Dessa forma, a proposta de não usar a palavra "destruição", e sim "transformação de figura", parece mais gestáltica, uma vez que nenhuma necessidade se satisfaz plenamente, assim como nenhum gesto termina por completo, mesmo que cessem as aparências de seu efeito. É importante que fiquemos atentos às necessidades imediatas do organismo, porque são estas, mais que as necessidades remotas, que acabam por desequilibrá-lo. A fim de lidar com esse conceito, podemos usar os construtos de *ajustamento criativo, campo, bloqueio do contato, cuidado, fronteira do contato, necessidade, parte–todo, polaridade* e *self*.

A CLÍNICA. Quando um cliente chega ao consultório e faz sua queixa, aparentemente nos traz aquilo que para ele é sua necessidade ou sua figura maior. Sem abandonar a trilha proposta pelo cliente, é importante lembrar que, nem sempre, o que o cliente traz é realmente aquilo que o coloca em dor e sofrimento. Por intermédio dos conceitos acenados, o terapeuta pode acessar a psicodinâmica do comportamento de escolhas do cliente. Estamos aqui no campo dos desejos, das escolhas, no qual nossa subjetividade ocupa um importante papel. Refiro-me ao preenchimento das lacunas dos clientes, e são as necessidades o seu divisor de águas. Perceber as verdadeiras necessidades dos clientes é também perceber sua caminhada entre o que é um problema verdadeiro e um problema falso. No momento em que suas escolhas não obedecem às suas necessidades, ele entra no campo dos desajustes emocionais, das alianças entre o sim e o não, de dar grandes passos fora ou ao lado da estrada, porque perdeu o verdadeiro sentido do que é ser livre. Não nos ajustamos criativamente quando renunciamos à nossa liberdade, mas quando, embora não conseguindo caminhar, tentamos fazê-lo – e esta tentativa é o caminho do meio com todos os perigos que ele pode envolver.

FRONTEIRA DE CONTATO

Estamos sempre em contato nos mais diversos níveis, mas, basicamente, em contato conosco e com o mundo. Como somos, necessariamente, seres de relação, por conseguinte, seres em contato, não há como pensar contato como algo abstrato, ou só da pessoa ou só do mundo. *O conceito de fronteira de contato surge para disciplinar a relação da pessoa e seu meio ambiente. Na verdade, contato não tem fronteiras, pois, sendo a pessoa puro contato, não é possível pensá-la fora de algum contato.* Viver é estar em contato.

Pensando em fronteiras, talvez pudéssemos falar de um contato interno e para dentro, e de um contato externo e para fora, como se fosse possível pensar um corpo que não estivesse em contato. Imagine seu corpo. Tudo em você está absolutamente em contato. *Todos os órgãos estão harmoniosamente em contato e, neste sentido, podemos dizer que a doença é exatamente a interrupção desta harmonia em permanente processo de auto-regulação.* É a harmonia das partes, esta quase ausência de fronteiras e contornos, que constitui esta totalidade transformadora, sendo o contato o instrumento de mudança. Processos como pensar, sentir, fazer e falar são complexas redes de contato interno, e a desarmonia processual entre esses sistemas provoca o desequilíbrio que gera toda sorte de doenças.

Se pensamos fronteira como o ponto ou o lugar no qual duas realidades se encontram e se tocam, sem invadir uma à outra, afirmaremos que o conceito é estático, perdendo o aspecto dinâmico que sempre domina a vida. É o contato interno ao corpo, isto é, do corpo consigo mesmo, que mantém os corpos vivos, pois, ainda que certos órgãos não toquem uns aos outros, existe entre todos eles uma cumplicidade relacional que é essência do contato humano. *Temos, portanto, de deixar de lado a idéia de fronteira, se entendemos fronteira como algo que interrompe o contato ou o lugar onde o contato ocorre, porque, na realidade, ele ocorre no campo total.* Tudo que está em dado campo, em dado momento, está em contato entre si, numa troca processual que mantém o campo em funcionamento. Pensemos a pele do corpo: de um lado, ela contém tudo dentro dela e, de outro, separa o corpo de toda a realidade fora dela; mas, na verdade, o corpo traz oxigênio de fora e exala gás carbônico de dentro, e esse fenômeno rompe a noção de fronteira.

A interdependência entre todas as coisas é a máxima lei que organiza o processo evolutivo do universo; por isso, o conceito de fronteira de contato precisa ser visto com cuidado. Dentro e fora são apenas a perspectiva de quem olha, pois, no universo, dentro e fora são sempre realidades intrinsecamente complementares. *O contato se dá também na fronteira, porém o mais correto seria dizer que o contato se dá no campo e se intensifica nas fronteiras.* Muitas vezes, não estamos conscientes de estarmos em contato, pois, imersos na realidade circunstante, fazemos uma só coisa com ela. Quando dizemos "fronteira ou fronteiras de contato", aludimos a algo, como se o contato tivesse uma fronteira por si só, como se o contato fosse uma entidade, uma coisa que possui uma fronteira. Na verdade, são as pessoas que, em contato, se vêem, geográfica ou mentalmente, dividindo com o outro seu espaço físico-mental e se percebem limitadas no toque, no pensamento, na emoção, no falar. *O contato não tem fronteiras, nós as fazemos.* Talvez pudéssemos dizer também "contatos de fronteira", mudando o foco – aqui, contato é figura; lá, fronteira é figura. Quiçá, ao dizer "fronteira de contato", estejamos também dizendo "contato de fronteira"; todavia, em ambos os casos, a dificuldade de visualizar a que nos referimos talvez venha do fato de que tanto fronteira como contato são construtos muito abertos, dificultando uma maior precisão conceitual.

Talvez definindo o conceito de limite, possamos compreender melhor o que é fronteira, pois limite tanto pode ser sinônimo de fronteira, quanto pode significar um processo que aproxima e afasta uma pessoa da outra. Outra distinção importante é a que Lewin faz entre fronteira e contorno. Uma sala tem fronteiras porque tem limites, metragem, largura, altura etc., que são os componentes de uma fronteira. Um lago não tem fronteiras, tem contorno, porque não se sabe onde começa nem onde termina. É a relação da pessoa com as margens que dirá de seus limites. Contorno é um conceito mais fluido e pode ser mais adequado ao conceito de contato do que ao conceito de fronteira. Se dizemos "contornos de contato", expressamos, exatamente, as possibilidades do que significa estar em contato, ao passo que *fronteiras de contato* fecha e restringe. "Fronteiras de contato" é mais uma destas expressões, como também "formação e destruição de figura", que precisam ser redefinidas, pois vieram e invadiram o campo teórico da Gestalt. Não posso deixar de observar que eu mesmo sou um dos que têm falado, acriticamente, dessas imprecisões, que agora tento corrigir.

A TEORIA. O corpo é, ao mesmo tempo, fronteira e contorno. Para algumas coisas, o corpo demarca fronteiras e limites, sobretudo quando se acha sob ameaça, e demarca contornos, quando se encontra em situação em que o contato pode fluir sem riscos. Se o corpo é o primeiro campo, é ele e por ele que suas fronteiras e contornos aparecerão, e é ele que dirá quando se deixará penetrar ou não. Discorremos sobre fronteira de contato, como se o contato estivesse em questão, mas, na realidade, é a pessoa quem está, e é por isso que podemos dizer "fronteiras da pessoa que está em contato" ou "contatos de fronteira da pessoa". Entendo perfeitamente que essas expressões significam uma situação em que a pessoa está em seus limites, sejam físicos, emocionais, sociais ou espirituais. No entanto, a distinção entre fronteira e contorno implica diferentes situações de como agir com o cliente, e nos ajuda a avaliar a partir de que lugar (fronteira ou contorno) ele poderá encontrar suporte para usar o contato de maneira eficiente e saudável. A expressão é imprecisa para significar o que se propõe para ela. Os conceitos de *ajustamento criativo*, *campo*, *corpo*, *figura–fundo*, *necessidade*, *parte–todo* e *totalidade* podem, entre outros, ajudar a operacionalizar melhor esse conceito.

A CLÍNICA. Ao olharmos esse conceito, pura e simplesmente, deparamo-nos com uma questão teórica como qualquer outra. Entretanto, ele chega, freqüentemente, como se preanunciasse um problema, uma dificuldade, um pré-aviso, porque o conceito de fronteira lembra limites, invasão. Clinicamente, contudo, ele deveria lembrar o cuidado que devemos ter quando nos aproximamos de nossos limites, físicos, mentais ou existenciais. Lembrar o que está dentro da pele e o que está fora, o que é meu, o que é do mundo e o que é nosso. Acredito que muitos dos problemas físicos e mentais dos clientes devam ser creditados ao fato de terem permitido que o mundo entrasse em suas casas, saltando pela janela. Adoecer é perder as fronteiras e os contornos de si mesmo, é tentar ir além dos horizontes, esquecendo que limites, fronteiras e contornos existem ou são criados, *a priori*, para nossa proteção. Esquecemos a cumplicidade que existe entre nós e o mundo quando nos deixamos invadir por forças que minam nossa capacidade de nos relacionar, cometendo, aí, a mais cruel violência contra nós mesmos: a de não acreditarmos que, por sermos seres de contato, somos igualmente seres de infinitas possibilidades. Fazer psicoterapia é reconhecer e retomar, livremente, nossas fronteiras e contornos para, de novo, reolharmos nossos horizontes de desejos e de poder, e, com autoridade própria, nos apossarmos deles.

GESTALT

"TEORIA QUE CONSIDERA os fenômenos psicológicos como totalidades organizadas, indivisíveis, articuladas, isto é, como configurações." Essa definição do *Dicionário Houaiss da língua portuguesa* (2001), apesar de sintética, contempla uma série de elementos ou de pressupostos conceituais que, juntos, nos articulam tanto com a Psicologia da Gestalt, quanto com a Teoria do Campo e a Teoria Holística. *Gestalt significa uma totalidade fenomênica, uma configuração de partes em inter e em intra-relação, formando uma unidade de sentido*. Gestalt é uma unidade de sentido, um fenômeno, algo que aparece como um nome e se torna algo para minha consciência. Se minha consciência não percebe a realidade como algo que a convida a uma troca conceitual, essa realidade não existe para mim, enquanto um fenômeno. Gestalt, portanto, como um todo percebido, não é algo que acontece lá ou aqui, mas algo que acontece *entre* a realidade externa e a consciência. O conceito de Gestalt dá o sentido (o que é uma Gestalt), o significado (como uma Gestalt funciona), bem como a dimensão (para quê, a extensão, o alcance valorativo) do que significa um fenômeno.

A definição dada anteriormente é universalizante, na medida em que é um princípio ontológico, a partir do qual tudo pode ser enquadrado, definido e tornar-se objeto para a consciência. Essa definição cria uma cultura do que perceber, de como a aprendizagem ocorre, e do para que as coisas, ao se movimentarem, se façam, se definindo e se constituindo como unidades. Estamos diante de um processo de constituição e construção da realidade a partir de uma relação sensória com o cognitivo da pessoa. Esta é também, de algum modo, a lógica da constituição e da construção do processo terapêutico. É a palavra "Gestalt" desembocando no conceito de terapia gestáltica. É como se Gestalt-terapia fosse a projeção, a experiência imediata teórica do que significa Gestalt.

Repassaremos a definição de Houaiss. "Gestalt é uma totalidade organizada" significa que a coisa se organiza em si mesma, não é organizada pelo outro. A coisa em si tem uma harmonia interna, resultado de um processo de dentro que dá um sentido de unidade ao objeto. O todo é anterior à soma de suas partes. Conceitualmente, existe uma antecedência cronológica da parte com relação ao todo, mas ele, como percebido, é ontologicamente anterior às suas partes, uma vez que, do contrário, não poderia ser percebido. É interessante observar que na neurose e, sobretudo, na psicose existe uma inversão deste princípio, e partes assumem caráter de totalidade. "Gestalt é uma totalidade indivisível", é algo estrutural, que não permite dicotomia, polarização, algo anterior à percepção subjetiva e posterior à sensação subjetiva. Totalidade indivisível significa que nem mesmo conceitualmente uma totalidade pode ser pensada por intermédio de suas partes, sem que a realidade se desfaça conceitual e operacionalmente. A neurose e, especialmente, a psicose são a divisibilidade experienciada como totalidade, o que se transforma num engano e num engodo experiencial. Gestalt é, portanto, algo cuja definição começa e termina em si mesma, que tem uma visibilidade inequívoca. "Gestalt é uma totalidade articulada", não é sozinha, exclusiva, é, ao mesmo tempo, algo em si, individualmente singular, e é também relacional, pois uma Gestalt é necessariamente um ser, em si, para o outro. Neste sentido, o universo é uma grande Gestalt articuladora, na qual tudo, sem perder sua identidade, é ontologicamente relacional.

Configuração, segundo o *Dicionário Houaiss*, é:

> O aspecto geral de um conjunto de seres ou coisas; arranjo estrutural das partes de um corpo ou de um conjunto; arranjo de elementos interligados para operar como um todo ou um sistema, estrutura, conjunto finito de pontos e linhas, em que cada ponto está no mesmo número de linhas e cada linha passa pelo mesmo número de pontos e por cada ponto.

A definição proposta de configuração não poderia ser melhor para o objetivo a que nos propomos. Uma pessoa com saúde é alguém configurado. O doente é alguém desconfigurado. *Gestalt é, portanto, um arranjo harmonioso de elementos ou partes, dinamicamente interligados, com a finalidade de operar como um todo ou sistema. Quando se rompe, material ou psicologicamente, esta unidade, rompe-se o significado unificador e saudável da totalidade e a Gestalt se desconfigura.*

A TEORIA. Na verdade, pouca coisa acrescentaria ao que já escrevi, dentro do esquema a que me propus. Quando dizemos "Eu faço Gestalt", como terapeuta ou como cliente, afirmamos que nossa prioridade é a busca de uma totalidade perdida, uma vez que problemas mentais são disfunções de uma totalidade não vivenciada. Rompemos esta totalidade de mil modos pelas vivências do pensar, do sentir, do agir, do falar, de um corpo que se tornou nosso grande desconhecido, dos sentidos que não sentem e de uma ruptura com o mundo, inseparável companheiro de viagem. Fazer Gestalt não é tentar cicatrizar feridas antigas, mas olhar para elas e a partir delas fluir para uma nova pessoa que mora dentro de nós, deixando de lado e para trás velhos olhares, cheiros antigos, sensações perdidas, toques que não significam mais nada, pois o remédio da cicatrização é fluir para um amanhã apesar de todos os riscos. E é aí que mora o contato com toda sua força de cura. Pode-se trabalhar Gestalt com o auxílio de muitos conceitos, como awareness, *ajustamento criativo, aqui-agora, diálogo, fenômeno, figura–fundo, ipseidade, necessidade, presença e totalidade*. **Diria até que se poderia trabalhar com todos os conceitos estudados, pois Gestalt é uma redução fenomenológica da totalidade de todos eles.**

A CLÍNICA. Clinicamente, a palavra "Gestalt" é um convite a que cliente e terapeuta se vejam como uma totalidade operante e relacional, uma totalidade no mundo. A terapia acontece no mundo, na *"polis"*, por isso ela é essencialmente política. Na realidade, o consultório não é nossa pequenina sala, mas o mundo que nos cerca, mundo que é o terceiro presente, um co-terapeuta invisível e silencioso que segue atentamente todos os nossos passos e por meio do qual descobrimos nossos mistérios. O cliente é uma figura que emana de um fundo, que é o mundo no qual ele está imerso, como o peixe na água. Trabalhar gestalticamente é não perder esta perspectiva relacional de que vivemos uma totalidade experienciada a cada momento, é tentar fazer a inversão da queda voltando para casa com os próprios pés. Poderia falar da disfunção gestáltica que é a perda vivenciada da sensação da própria totalidade no mundo. *Quando definimos, portanto, Gestalt-terapia como um processo em ação no mundo, dizemos que a pessoa humana, o objeto de nossa ação, se rompeu porque perdeu sua unidade de sentido, sua totalidade conceitual e funcional, que é uma configuração de partes, dado que uma delas assumiu o comando desta mesma totalidade.* Fazer terapia gestáltica é todo um processo de retornar a esta unidade original, à Gestalt, como definição de sentido e de unidade, o que significa um retornar, prazerosa e conscientemente, à casa-mãe, ao ser como uma totalidade viva e operante.

IPSEIDADE

QUANDO NOS PERGUNTAMOS quem somos e como nos tornamos a pessoa que somos, estamos à busca de nossa ipseidade, daquilo que podemos chamar de processo de constituição e construção do si mesmo, da individualidade absolutamente singular. *Minha ipseidade é constituída de todo um processo cósmico, dentro do qual fui gerado, de todo um processo que, aqui-agora, me caracteriza como sendo eu mesmo, e de todo um processo em evolução que, dentro de mim, opera a transformação de mim mesmo em outro eu, o qual, sem perder suas raízes cósmicas, vai na direção de um eu cujas origens me permitem continuar sendo eu-mesmo-em-permanente-mudança.*

Minha ipseidade se constituiu paralelamente à constituição da ipseidade do universo, sendo primeiro matéria, depois vida, depois mente, depois self, depois pessoalidade. Somos intrinsecamente cosmo e só por abstração nos é possível pensar-nos como uma realidade isolada, separada, individualizada do cosmo.

Temos a idade do universo. Há doze bilhões de anos, uma partícula do cosmo começou a se distinguir de todas as outras e, seguindo seu curso evolutivo, agregou-se a bilhões de outras, separou-se de bilhões de outras, juntou-se a bilhões de outras que, por questões evolutivas, ficaram de lado. Mais tarde, esta partícula foi se distinguindo, se distinguindo, recebendo, a cada série evolutiva, um jeito novo de ser até tornar-se vida, mente, e continuou evoluindo até adquirir um jeito muito especial de ser, que, em dado momento, se tornou um ser-pessoa. E, finalmente, *tornou-se este indivíduo singular e único*, fruto de uma infinita e complexa série de transformações. *Ipseidade é um órgão da mente, uma função do espírito, uma estrutura em permanente processo de mudança, mas que não muda sozinha, muda em bloco, em absoluta consonância com o processo que faz a mudança do e no universo.* É um campo singular, fruto de variáveis psicológicas e não-psicológicas, atuando aqui-agora, responsável por todo o comportamento existente nesse campo, funcionando como um microssubsistema, no qual não existem parte e todo, figura e fundo, mas sim parte–todo, figura–fundo, pois é uma totalidade existencial, potencialmente em ato e atualmente em potência, disponível a atualizar-se sempre. Ipseidade, embora guarde traços e propriedades das partes que a antecederam, é uma totalidade ontologicamente diferente das partes que a compõem, porque aqui-agora se elevou a outro nível energético, tornando-se uma força de síntese ou sintética do eu no universo, e se mostra e demonstra como uma singularidade individualizada humana.

Ipseidade: a pessoa em que me tornei, a sensação única de ser eu mesmo, o sentir-me um ser que se reconhece numa estrada feita de ontem, um ser de força, coragem, medo, esperança, feita de hoje, um projeto realizável no amanhã. Tudo isso é uma função da mente, tudo isso é produzido por uma entidade que mora em mim, tão real quanto meu coração que bate, minha memória que recorda, minha inteligência que descobre. Pessoalmente, tenho vontade de visualizar minha ipseidade, porém não consigo, como também não consigo visualizar meu self, outra entidade microssistêmica que também mora em mim e é um dos subsistemas de contatos responsável pelo aqui e agora. *Posso, entretanto, dizer que percebo e sinto tanto meu self quanto minha ipseidade, o self me dando uma sensação de presença e a ipseidade uma sensação de eterna continuidade.* Quando penso o que sou, quem sou, como sou e para que eu sou, percebo que o conceito de ipseidade me remete a níveis de transcendência e espiritualidade, a níveis de imanência e impermanência, a níveis de individuação, individualização e interdependência. Nasce em mim, então, um sentimento de encantamento, graça e agradecimento, e, aí, o conceito de ipseidade não importa mais, já cumpriu seu papel de me fazer humano e divino, profano e sagrado.

A TEORIA. Ipseidade é o resultado de uma complexa rede de contatos e é, aqui-agora, um sistema atuante de contatos. É como uma tela de radar, extremamente sensível para captar todos os estímulos que entram em seu campo de percepção, que, contudo, diferentemente, transforma nela todas as imagens que recebe. Trata-se, portanto, de uma entidade em permanente mudança, na medida em que, sendo uma entidade processual relacional, muda sempre sem deixar de ser ela mesma, porque não joga fora suas experiências passadas; ao contrário, as transforma, adquirindo, a cada novo momento, uma nova cara. Ipseidade é diferente do conceito de si mesmo, de imagem de si mesmo, não é fruto de um processo cognitivo à busca de uma definição, mas antes a sensação experienciada de si mesmo, algo que vem de dentro, como uma síntese vivenciada daquilo em que nos tornamos ao longo da vida. Essa sensação de quem somos existe em cada um de nós e é ela a matriz que dá origem e significado a todos os processos que explicitam e explicam nossas caminhadas. Neste sentido, ipseidade é um órgão da mente, que estrutura, a cada momento, nosso jeito de ser do mundo e de estar no mundo e com o mundo. Acredito que os conceitos de *ajustamento criativo, aqui-agora*, awareness, *contato, figura–fundo, parte–todo, presença* e *self* podem nos ajudar a operacionalizar o que chamamos de **ipseidade**.

A CLÍNICA. Muitos dizem que não têm consciência de quem são. Olham para si mesmos e mal se reconhecem. Parece que, se o outro não os definir, eles próprios se sentirão perdidos e isolados. Essas situações estão muito ligadas com desconfirmações sofridas, sobretudo na infância, de tal modo que a pessoa cresce sem um referencial interno, ora se distanciando do mundo e se recolhendo em si mesma, ora se recolhendo em si mesma e se afastando do mundo. Falta-lhes o sentido de presença, porque não fazem contato consigo mesmas, mas muito mais sobre si mesmas, como se tivessem de cuidar sempre de um outro que mora dentro delas. Em vez de processar recursos de seu verdadeiro eu, elas representam um personagem, sem se aperceber de quem verdadeiramente são. Foram ensinadas a acreditar que, somente assumindo este outro eu, terão direito a algum amor e a ser reconhecidas. E como, ainda assim, lhes falta esse reconhecimento permanecem com um sentimento de vazio, de insaciabilidade emocional, de insegurança pela ausência de seus próprios parâmetros internos. Estão fixadas em situações antigas e não sabem como se ajustar criativamente, pois sentem como se, perdendo coisas antigas, perdessem também as novas e com elas a própria segurança. É função da terapia, nestes casos, ajudar o cliente a ampliar sua consciência, a se ver como um ser possível, a se sentir acompanhado pelo universo, a sentir que é filho da mãe-terra, que ele e o que lhe acontece não são frutos do acaso. Desta forma, ele poderá tomar posse de quem verdadeiramente é e conferir às suas dores uma real legitimidade que, antes, lhe foi negada pelo mundo. Pensar e sentir a própria ipseidade é abrir um caminho de esperança, porque, quando alguém se sente um ser planejado cosmicamente, sua alma pode encontrar alívio e remédio entre os milhões de seres que o acompanharam na construção de sua existência.

MUDANÇA PARADOXAL

PARADOXO "É O QUE é contrário à opinião da maioria, ou seja, ao sistema de crenças comuns e a que se faz referência, ou contrário a princípios considerados sólidos ou a proposições científicas. [...]" "A finalidade do paradoxo" é "a refutação, ou seja, provar a falsidade da asserção do adversário. [...]" Paradoxo é "a afirmação dos direitos da fé e da verdade de seus conteúdos em oposição às exigências da razão. [...]" O paradoxo não é uma concessão, mas uma categoria: uma determinação ontológica que expressa a relação entre um espírito existente e cognoscente e a verdade eterna, afirma Kierkegaard, conforme o *Dicionário de filosofia* (Abbagnano, 2000). Aliás, apenas para completar, Kierkegaard viu a própria relação do homem com Deus como um paradoxo.

Mudança paradoxal, portanto, é a possibilidade de produzir uma mudança por meio de um paradoxo, ou pela criação de um paradoxo entre uma verdade velada, ainda não percebida, e a certeza de alguém que pensa que conhece a verdade. Essa mudança pode ocorrer dentro do próprio sujeito que jamais duvida de suas verdades, ou entre ele e outra pessoa, cuja relação acontece entre um que sabe e outro que pensa que sabe, entre dois que pensam que sabem. O paradoxo nos cerca e nos acompanha de todos os lados e em todos os níveis. *Paradoxos cognitivos* são aqueles pelos quais de tanto negar a evidência de algo acaba-se esbarrando com ela nas horas mais imprevisíveis; *paradoxos afetivos emocionais* mostram que, quanto mais alguém se odeia ou odeia uma pessoa ou coisa, mais perto ela está de se aceitar, de aceitar o outro ou de rever suas posições; *paradoxos motores* surgem quando terminamos por fazer algo que sempre nos pareceu impossível. *Sempre que lidamos com sentimentos que incluem: eu... nunca, eu... jamais, é... impossível, estamos no campo do paradoxo.* Assim, concordar com o argumento de um interlocutor que jamais poderia acreditar nesta possibilidade poderá levá-lo imediatamente a duvidar do próprio argumento ou da própria verdade. No paradoxo, não necessariamente o opositor está fora.

Existem paradoxos íntimos internos que são verdadeiras ratoeiras mentais: alguém, por exemplo, diz para si mesmo que pessoas gordas são mais felizes, embora saiba que comer certos tipos de alimentos engorda, e, não obstante, entrega-se despreocupado ao prazer da comida. Essa pessoa pode, paradoxalmente, de um momento para outro, entrar em um estado depressivo, deixando de se alimentar porque não consegue mais se convencer de que gordura e felicidade andam juntas. Escolhe um estado depressivo como uma saída nobre para deixar de se alimentar. Aí reside o paradoxo.

O corpo, aliás, a natureza, não funciona paradoxalmente, seguindo sempre a lei da preferência, ainda que, exceção à regra, encontremos momentos de paradoxo tanto no corpo como na natureza, quando, por necessidade evolutiva do organismo, ele se ajusta a seu processo de adaptação e sobrevivência. Esses paradoxos são auto-reguladores no processo evolutivo, diferentemente de comportamentos sublimados para esconder a incapacidade de funcionar harmoniosamente. *A mudança paradoxal é um processo pelo qual a pessoa segue uma estrada que, aparentemente, não a levará aonde deseja chegar; contudo, estranhamente, ela chega lá. No paradoxo, a pessoa enfrenta situações opostas às que está acostumada a lidar, só que essas mesmas situações foram, inconscientemente, encomendadas por ela. Nesse processo, distinto da entrada em contato consigo mesma, suaviza os bloqueios do contato, depõe as próprias armas e, percebendo-se como inimiga de si mesma, passa a escutar atentamente aos próprios argumentos, antes ameaçadores para ela.*

Quanto mais alguém luta para se considerar firme e sólido em suas certezas, ou, ao contrário, não liga absolutamente para nada do que se diz verdadeiro, maior será a possibilidade de ali se introduzir um paradoxo. Por meio do paradoxo, a mente elabora formas *a priori* de constituição do pensamento e do conhecimento, no sentido de que o paradoxo se transforma num instrumento para o entendimento do ser negado ou em algo que especifica modos contraditórios de existir. Neste sentido, transformado em categoria, o paradoxo torna-se um jeito de ser. Muitas pessoas vivem, com tranqüilidade, um estilo de vida contrário ao da opinião comum que, em geral, orienta o pensamento humano, e assim são sentidas e vistas como desafiadoras de opiniões, de crenças partilhadas por uma grande maioria. *Isso é viver paradoxalmente.* Não significa que essas pessoas estejam erradas, mas que, certamente, são vistas como transgressoras. Essas pessoas não precisam mudar, na medida em que ser transgressor ou viver paradoxalmente não implica conflito ou luta interna para não estar onde se pensa que não deveria estar. A mudança paradoxal, portanto, pode caminhar paralelamente a situações de pessoas que vivem paradoxalmente ao estilo comum, sem que isso se constitua em conflito.

A TEORIA. A mudança paradoxal não é algo que se provoca, é algo que ocorre, apesar de tudo. Seres de profunda complexidade, somos "divididos" em infinitas partes, sistemas ou posições, conforme coloca Lewin. Todavia, existe em nós um processo que o mesmo Lewin chama de locomoção, que é o fato de passarmos de uma região a outra sempre que o corpo ou a mente ou o corpo–pessoa precisam fazer uma opção preferencial. E muitas destas locomoções ocorrem em nível não-consciente, como a locomoção paradoxal. Nosso organismo é orientado instintivamente para funcionar como uma unidade, como um todo. Ele sabe para que lado este instinto de unidade o convoca, e as locomoções obedecem a esse instinto. A mudança paradoxal é a locomoção de uma posição para outra sem a interferência do racional. É o instinto da totalidade que provoca a mudança paradoxal. Você se move e o instinto lhe conduz para a unidade, levando-o para o lugar da surpresa, que é o paradoxo. A mudança paradoxal é resultado de uma trama de que participam todas as partes do corpo, em que o vetor de cada uma delas busca um único ponto de aplicação: a mudança não esperada. Os conceitos de *ajustamento criativo*, *awareness*, *campo*, *figura–fundo*, *relação complementar*, *necessidade*, *polaridade* e *totalidade* podem nos ajudar na operacionalização de uma **mudança paradoxal**.

A CLÍNICA. Os clientes muitas vezes encontram dificuldades para lidar com a própria mudança e se tornam ansiosos pelas dificuldades de encontrar novos caminhos. Paradoxalmente, ficam mais tranqüilos quando "percebem" que têm ganhos secundários com a doença, transformando-a, de certo modo, num "investimento" que termina por lhes facilitar a vida. Em alguns casos, percebemos também situações claras de desinteresse pela mudança, quando então precisamos estar atentos para saber se já não está ocorrendo uma situação paradoxal de mudança, pois é possível que o cliente esteja raciocinando sutilmente sobre a vantagem da doença, mantendo-se paralisado na direção da mudança. Não é fácil criar um paradoxo, apenas do ponto de vista técnico, o que consistiria, por exemplo, em o terapeuta caminhar com o cliente ou em uma direção que ele não deseja, para que ele possa sentir as vantagens do lado oposto, ou caminhar com ele numa direção que é desejada por ele, mas que, num segundo momento, o fará perceber que não o levará a nenhum lugar. Por vezes, ficamos com ou em situações que deveríamos rejeitar, ou até rejeitamos aquelas que, pensadas de outra maneira, deveriam se constituir em uma opção nossa. Parece que o paradoxo nos remete a lugares muito negados, porque muito desejados, mas sentidos como impossíveis. Trabalhar paradoxalmente é colocar o cliente diante de suas possibilidades reais para, ao vivenciar suas contradições internas, descobrir que o risco é o cotidiano da existência, e que a palavra "fácil" não pertence ao vocabulário dos adultos, e sim ao das crianças.

O conceito de relação complementar é extremamente útil para lidar com mudança paradoxal, seja assistindo ao cliente dizer que está ótimo (quando não está) e caminhar com ele na mesma direção, seja discutindo com ele o fato de não assumir uma posição que lhe é habitual, por exemplo, não responder grosseiramente às provocações do filho, mas simplesmente olhar nos olhos dele. Tais atitudes provocam o paradoxo na outra pessoa, que, ao não ser correspondida como esperava, começa a pensar o que estaria acontecendo com o outro e, ao fazer isso, encontra novas razões nas quais não havia pensado antes. Na mudança paradoxal, recuperamos partes que pareciam estar fora do campo de ação da pessoa.

NECESSIDADE

*F*RIEDRICH DORSCH, em seu *Dicionário de psicologia* (2001), descreve o significado de "necessidade" para, em seguida, dividi-lo em seis níveis de necessidade.

> Necessidade é a expressão do que um ser vivo precisa absolutamente para conservar e desenvolver sua vida. [...] Uma vez satisfeitas as necessidades de um nível, as necessidades de nível seguinte têm preferência. 1 – Necessidades fisiológicas (fome, sede, sexo). 2 – Segurança. 3 – Amor e parentesco. 4 – Avaliação. 5 – Realização de si. 6 – Transcendência.

A palavra "necessidade" nos leva à palavra "necessário", que é assim definida por Abbagnano (2000):

> O que não pode não ser; ou o que não pode ser. [...] O que não pode ser é o *impossível*, que é o contrário oposto de Necessidade, sendo também necessário. [...] O contraditório de Necessidade, o não-necessário, é a outra modalidade fundamental, o *possível*.

Fica claro por estas diferenças que, em Gestalt, usamos a palavra "necessidade" de maneira mais solta, como algo que surge da relação do sujeito com o ambiente, como algo que deve preenchê-lo, aqui e agora. É verdade que, entre várias necessidades, a mais urgente aparece como uma demanda do próprio organismo, que sempre segue a lei da preferência. O organismo não pensa para escolher, o faz a partir de uma sua sabedoria interna. Se uma necessidade é algo de que o ser precisa absolutamente para se conservar e desenvolver, talvez devamos pensar de que maneira o organismo, sabedor de suas necessidades, permite à pessoa sonegar algo de que ele precisa para sobreviver. Uma doença, por exemplo, é, certamente, a sonegação de uma necessidade. A questão, no entanto, é: quem sonega? Podemos dizer que o organismo possui duas fontes de suprimento de suas necessidades: o próprio corpo e o ambiente. Na linguagem da teoria holística organísmica, aludimos a dois conceitos, centragem e equalização, por meio dos quais, na centragem – por exemplo, na meditação –, o próprio organismo fornece o necessário, e, na equalização, o meio ambiente o fornece – por exemplo, o beber de um copo d'água.

Referimo-nos a necessidades necessárias e a necessidades contingentes ou possíveis, em que, nas necessárias, o objeto em questão não pode não ser, tem de ser; e, na contingente ou possível, o objeto em questão pode ser ou não ser. Aqui existem muitas questões: 1. falamos de necessário ou de necessidade, como uma operação precisa, exata, porém abstrata; 2. falamos de necessário a uma pessoa específica, isto é, falamos de algo que em seu confronto não pode não ser; 3. falamos de algo fruto da sensação interna de ser figura, ou seja, algo que chega como necessário, ou como contingente, à espera de emergir de um fundo; 4. falamos de um processo necessário que afeta a totalidade do ser, como tal. Isto posto, *não é exato dizer que a necessidade emerge de um fundo pessoal e intrapsíquico, mas que emerge da totalidade da pessoa no mundo ou da relação figura–fundo, não se podendo distinguir o que é figura do que é fundo, no aqui-agora experienciado pela pessoa.*

Temos dito que a necessidade emerge de um fundo, no qual se encontra à espera de ser satisfeita (este é um de nossos jargões), e a não-satisfação das necessidades quebra a auto-regulação pela qual a pessoa se sente inteira no mundo. Psicoterapia está relacionada com necessidades, com problemas verdadeiros, podendo muitas vezes ficar estagnada por estarmos debatendo, juntamente com o cliente, falsos problemas ou falsas necessidades. Identificar as verdadeiras necessidades de uma pessoa é identificar o modo como ela se sentiria caso tivesse consciência de que o alimento que come a está nutrindo falsamente, bem como ajudá-la a perceber o modo como ela corta o contato consigo, no mundo, pela incapacidade de suprir suas necessidades. Talvez também aqui devamos dizer que não existem necessidades falsas e necessidades verdadeiras. Existem, simplesmente, necessidades, ou seja, situações que precisam de cuidados especiais e de cuja falta a pessoa sofre como um todo. *Do ponto de vista clínico, cabe aqui a seguinte distinção: a negação de necessidades, ontologicamente necessárias, conduz à sensação da vivência do possível, como real, que parece ser o* locus *no qual a psicose se desenvolve. A negação de necessidades contingentes leva ao* locus *no qual a neurose acontece pela não-aceitação, pura e simples, das evidências com as quais a pessoa não consegue lidar. Ambas, psicose e neurose, resultam de um continuado bloqueio do contato naquele lugar em que o relacionar-se com o mundo pareça mais difícil.*

A TEORIA. Costumamos dizer que a necessidade emerge de um fundo indiferenciado e responde a uma demanda do organismo, em dado momento e em dado espaço. O organismo segue a lei da preferência que resulta ora de uma demanda interna, ora de uma fonte de nutrição fora do organismo. Trata-se, portanto, de uma demanda relacional, a que o organismo satisfaz buscando nele a resposta, ou no mundo à sua volta. Necessidades não satisfeitas retornam ao fundo, ora constituindo fixações resistenciais, ora se acoplando a outras necessidades na expectativa de serem satisfeitas, vicariamente, em um segundo momento. O organismo sabe do que necessita a fim de preencher suas necessidades e faz o possível para consegui-lo. Quando, porém, não o consegue, recolhe-se, produzindo um equilíbrio instável mas suficiente para mantê-lo ativo. A fim de trabalhar necessidades podemos utilizar os conceitos de *ajustamento criativo*, *awareness*, *corpo*, *cuidado*, *formação* e *transformação de figura*, *parte–todo*, *presença* e *totalidade*, estabelecendo uma ligação de causa–efeito entre o conceito de necessidade e cada um destes conceitos – por exemplo, **necessidade** e ajustamento criativo, e assim por diante.

A CLÍNICA. Temos sempre alguma necessidade e jamais as preencheremos por completo. Nossas neuroses e, sobretudo, nossas psicoses são fruto das nossas necessidades não satisfeitas. Deste modo, precisamos estar atentos ao que chamamos de necessidade, se é entendida como algo necessário que, portanto, não pode não ser, ou se é apenas algo contingente, mas que nossos desejos e nossa falta de limites transformam em necessidades. Temos de aprender a distinguir um falso problema de um problema verdadeiro, uma necessidade falsa de uma verdadeira. É possível afirmar que um psicótico está limitado por suas necessidades verdadeiras e um neurótico está transformando uma necessidade possível ou contingente em uma necessidade verdadeira. Isto é, o neurótico está vivendo como verdadeira uma necessidade contingente, o que não tira, logicamente, a importância de sua experiência interna de sofrimento. A diferença entre uma necessidade e outra é que a verdadeira tem um forte apelo no mundo e na pessoa, e a contingente tem um apelo mais forte na pessoa. Em ambos os casos, referimo-nos a como a pessoa responde a seus próprios apelos e aos apelos do mundo.

PARTE E TODO – PARTE-TODO

A REALIDADE É, AO MESMO tempo, parte **e** todo e parte–todo. Esta relação depende tanto do objeto observado quanto do lugar a partir do qual o observador o observa. Um objeto, como tal, é um puro dado para nossos olhos, e também um conjunto de partes que se apresenta a nós, mentalmente, como resposta a uma percepção externa. *As percepções nascem primeiramente de um dado externo à consciência para, em seguida, se adequar às idéias impressas, da qual nasce a consciência do percebido.* A partir deste momento, consciência perceptiva, emoções e necessidades formam uma situação triangular que praticamente definirá nossas escolhas perceptivas. De modo geral, tendemos a privilegiar a parte sempre que ela responda mais adequadamente a alguma de nossas necessidades específicas. Um exemplo: vou comprar um canivete suíço, com suas inumeráveis utilidades; observo parte por parte, pois se nenhuma delas resolver minha necessidade, por mais interessante que seja o canivete, não o comprarei. Aqui, privilegiamos a parte sobre o todo. O processo interno do objeto, ou processo interno ao objeto, segue outras variações, especialmente em uma questão estética. Aqui, as partes são igualmente importantes, mas é o conjunto que fará o sujeito optar ou não pelo objeto – entram variações como tamanho, cor, raridade, preço. Nestes dois momentos, externo e interno ao objeto ou do objeto, a pessoa opta com base nas partes, que geram na pessoa um processo decisório.

Podemos, portanto, nos aproximar do objeto a partir do que ele é e de como ele é; neste caso, tanto **o que** *quanto* **o como** são realidades intrínsecas ao objeto. Igualmente, a pessoa – ou o observador – vive um duplo processo externo e interno. Do lado externo, estamos falando de um processo relacional de contato com o objeto, enquanto objeto, e com o observador, enquanto observador. Em algum lugar, porém, estes processos singulares e individualizantes desaparecem do campo de atenção do sujeito para se tornar simplesmente algo para sua consciência, no sentido mais de um dar-se conta, e no qual o objeto, como tal, é apreendido como uma totalidade relacional. A observação interna do observador nasce também de suas necessidades internas, oriundas da própria realidade do objeto em si. Em um *shopping*, por exemplo, se o observador não está procurando um canivete suíço, ele não se dará conta de todos os canivetes que estão à sua frente, porque estes não fazem parte de seu campo perceptivo, não estão conectados com sua atenção, e, portanto, passarão despercebidos. São as motivações internas do observador que o levarão a descobrir um objeto que passaria despercebido à maioria das pessoas.

Assim, externo e interno tanto ao observador quanto ao objeto observado são apenas reflexos existenciais de uma mesma e única realidade. Embora observador e objeto observado tenham existência própria, esta só se torna real a partir do olhar fenomenológico que dá existência ao objeto – do contrário, permanecerá fora do campo de ação perceptivo e descritivo. *As partes têm uma precedência ontológica com relação ao todo. O todo é feito de partes, mas, uma vez constituído, ele será ontologicamente anterior às suas partes e será regido por leis diferentes das que regem as partes. O todo é diferente da soma de suas partes, é qualitativamente diferente da soma quantitativa de suas partes. Quando nos referimos às partes ontologicamente anteriores ao todo, falamos de parte e todo; e, quando nos referimos ao todo, ontologicamente anterior às suas partes, falamos de parte–todo.*

Parte–todo é a relação existencial que revela a totalidade como uma unidade de sentido. De algum modo, desaparecem as partes e o todo se torna objeto para a consciência. A existência do todo é diferente da existência das partes em um mesmo objeto. O objeto, visto como um todo, revela-nos sua essência imediata, e, aí, lhe damos forma, dizendo: "Isto é um canivete, uma cadeira", independentemente dos elementos existenciais que compõem sua essência. Isto significa que, às vezes, nos aproximamos do objeto por intermédio de suas partes e, em outras, por intermédio de sua totalidade. *Fazemos referência à percepção de um objeto no espaço e no tempo. Como espacial, o objeto projeta sua essência e, como temporal, nos dá sua existência.* A percepção, portanto, é algo que se coloca entre o espaço e o tempo, e é fruto da relação emocional que o espaço e o tempo exercem sobre um único e mesmo objeto. Primeiro, os sentidos registram a presença do objeto, para então entrar em cena a percepção, que, por sua vez, se volta para os sentidos, que, como uma totalidade, nos colocam ou nos dão o sentido e o significado do objeto, para, só aí, fazermos nossas opções.

A TEORIA. A tendência do organismo é ver a realidade como um todo, captá-la como um todo. As coisas se oferecem por inteiro à nossa percepção. Quando contemplamos a realidade, vemos, ao mesmo tempo, como totalidades inúmeras coisas como objeto de nossa percepção. Em um segundo momento, e dependendo de nossas necessidades, começamos a observar as partes que compõem o objeto sob observação. Aludimos a como percebemos a realidade, no dia-a-dia, mas temos de ir além deste modo rotineiro de funcionar se queremos pensar a realidade como um dado para a consciência – na medida em que parte e todo e parte–todo passam a pertencer, ao mesmo tempo, a outra esfera, aquela da espacialidade e da temporalidade. Quando dizemos parte e todo, nos referimos a espaço e a tempo, isto é, à maneira como a consciência seleciona sua percepção na escolha pelo objeto. Neste caso, poderia ser atraído tanto pela parte quanto pelo todo, e um me conduziria ao outro. Quando digo parte–todo, espaço e tempo se fundem, e o objeto de minha escolha será pelo objeto enquanto uma totalidade. Minha consciência precede a minha escolha, fazendo a opção pela totalidade. Aqui, os conceitos de *ajustamento criativo, campo, contato, corpo, fenômeno, fronteira do contato, presença* e *totalidade* nos ajudarão a operacionalizar nosso trabalho.

A CLÍNICA. Penso rapidamente na relação eu–isso e na relação eu–tu. A primeira é a relação parte e todo, uma relação adjetivada, na qual as partes levam ao todo. A relação eu–tu é uma relação parte–todo, na qual cliente e terapeuta se confundem e se fundem, numa relação de fato amorosa, de pessoa para pessoa, na qual os adjetivos não mais são necessários. Deus vê sua criatura sempre sem o e, é sempre parte–todo, figura–fundo, aqui–agora. Deus não joga dados, não joga com partes. O terapeuta, no entanto, está, quase sempre, jogando com partes, com dados, com os "issos" humanos. O processo terapêutico é um contínuo passar da parte, isto é, do sintoma, para o todo, para o processo. A neurose é exatamente isto: tratar as partes com a importância que pertence ao todo. Uma visão gestáltica do processo terapêutico privilegiará o cliente como uma totalidade no mundo, ficando claro que, sempre que se toca uma parte, o todo se reconfigurará por igual. Muitas vezes, não nos resta opção senão tratar do sintoma, uma vez que o cliente não tem condições de se perceber como uma totalidade em auto-regulação, mas o terapeuta não pode perder nunca a dimensão processual da totalidade.

POLARIDADE

O DIFERENTE MOVE as pessoas, por isso ele fascina, pois concentra nele a possibilidade de criar, movendo-nos no campo em que as ofertas chegam até nós como propostas de prazer e de risco. *Nossas verdadeiras batalhas não são entre pessoa e pessoa, mas entre o igual e o diferente, entre a rotina e a possibilidade nova, que se debatem dentro de nós.* Freqüentemente, muitos de nós se vêem às voltas com a famosa expressão: "Viver em cima do muro". Não me refiro à polaridade como um processo que provoca meu diferente em minha relação com o outro, mas que provoca o diferente dentro de mim mesmo. Podemos, então, tentar definir polaridade assim: *processo pelo qual duas realidades, aparentemente opostas, colocam-se uma diante da outra a fim de se excluir mutuamente, como se uma fosse o oposto da outra.* É possível pensar em polaridade do ponto de vista objetivo quando duas realidades externas, de fato, se excluem – por exemplo, preto e branco. Também é possível pensar em polaridade como duas realidades quase idênticas, na razão em que, concomitantemente, ambas se afastam de um ponto zero, começando a se distanciar uma da outra – por exemplo, escuro e claro. Pode-se, ainda, pensar em polaridade expressando emoções polares – por exemplo, amor e ódio. Como nada é absolutamente completo em si mesmo, não se pode falar em polaridade absoluta, sobretudo quando se trata de objetos ou coisas de uma mesma natureza, que, num preciso momento, referem-se ao mesmo objeto – por exemplo, uma casa pequena e uma grande. Não estamos discutindo "casa", mas sim se esta é pequena ou grande, pois a polaridade se dá sobre a existência de dado objeto em consideração e não sobre sua essência.

Assim, parece que a polaridade se dá sobre o "como" das coisas e não sobre o "o quê" das coisas. Neste sentido, não estamos falando de polaridade quando dizemos: "Não sei se vou ao Rio ou a São Paulo", porque, aí, estamos falando de dois objetos ou situações diversos. Entretanto, falaremos de polaridade se dissermos: "Não sei se vou ao Rio ou se não vou". *A polaridade tem que ver com intencionalidade, com o sentido da coisa para esta pessoa. Estamos, portanto, no campo de duas possíveis emoções, que se relacionam com um único dado a respeito do qual não temos clareza de opção.* Quando digo: "Não sei se compro um carro pequeno ou se não compro", dado que se trata de um único objeto, visto sob o aspecto de duas possíveis emoções, estamos diante de uma polaridade; se digo, porém: "Não sei se compro um Fiat ou um Ford", estamos diante de duas escolhas de objetos diferentes que podem supor emoções completamente diversas. Embora ambos os casos lidem com um processo de dúvida, a energia do sentido do desejo caminha em direções completamente diferentes.

A polaridade passa por um processo de subjetivação. Isto é, diante de uma polaridade, o que está em causa é o sujeito que duvida e não a coisa sobre a qual a escolha vai ou não incidir. Polarização é um processo interno à pessoa que duvida, que não sabe decidir a respeito de um único objeto. No processo decisório da polaridade, é a posição interna do sujeito que precisa ser mudada, é ele que tem de mudar e não mudar a coisa ou de coisa. O pólo não reside em um objeto fora dele: ir ao Rio ou a São Paulo, mas ir ou não ir. A polarização está dentro dele, é dele. Uma dupla emoção ocorre dentro do sujeito, tratando-se, portanto, de um processo decisório interno, no qual a emoção determina a escolha e não o contrário, pois, quando mudamos a emoção a respeito de algo, mudamos também nossa atitude. A dúvida ocupa um lugar importante na questão da polaridade, uma vez que, se prestarmos atenção, radicalmente, na dúvida interna da pessoa – por exemplo, "Não sei se vou ou se fico" –, a maior probabilidade é de que a pessoa não queira ir, pois, se quisesse, não duvidaria. Estou falando de dúvida interna, de argumentos internos, porque, se motivos externos obstaculam a decisão, o princípio de que, na dúvida, prevalece o "não" cai evidentemente por terra.

A TEORIA. Tudo que está acontecendo na vida de uma pessoa está acontecendo porque ela está fazendo aquilo acontecer. Lógica da radicalidade ou radicalidade da lógica, não importa, pois este não é um raciocínio polar, mas duas visões quase idênticas de uma mesma realidade. Vale apenas como trocadilho. Polaridade relaciona-se especificamente com nosso poder de decisão, embora, freqüentemente, encontremos no caminho da decisão emoções como o medo, a angústia, a dúvida, que freiam nossa impetuosidade fazendo apelo ao bom senso, à prudência. Polaridade é um processo interno à pessoa, dominada pela dúvida e paralisada pelo medo, pela impotência – e a polarização revela suas contradições. Na polaridade, as motivações da pessoa não estão claras, porque também o sujeito não sabe ao certo qual é, de fato, sua necessidade. Na polaridade, lidamos com alguns conceitos como: *agressividade, aqui-agora, auto-regulação organísmica, campo, figura–fundo, mudança paradoxal, relação complementar, parte–todo e totalidade.* Dado que qualquer destes conceitos devem funcionar como um instrumento de trabalho, o terapeuta poderá utilizar qualquer um deles para lidar com a **polaridade**.

A CLÍNICA. Polaridade é um jeito muito humano de funcionar. A universalidade das coisas e sua complexidade abrem um caminho natural para a dúvida. Não temos acesso às coisas como uma totalidade conhecida, e mesmo quando pensamos ter clareza mental sobre algo nem sempre ela vem acompanhada de uma emoção que facilite sua consecução. O cliente amiúde não sabe o que fazer, não sabe o que é melhor para ele, tem duas saídas para desejos que demandam soluções iguais. A neurose é uma conseqüência natural das dúvidas que deixam de ser dúvidas para ser quase-certezas – e, neste contexto, as certezas já estão minadas pela impotência. Tecnicamente, podemos optar por trabalhar o sim ou o não a respeito da dúvida do cliente, mas o melhor seria trabalhar a própria dúvida, sua própria incapacidade de decidir, porque, nestes casos, saímos do sintoma e vamos para o processo, uma vez que é possível estarmos diante de um traço comum da pessoa, o não saber decidir. De novo, ela está repetindo situações conhecidas e lugares comuns. No meio de dois pólos, estão sempre motivação e necessidade obscuras. Clareá-las é sair do impasse entre o sim e o não.

PRESENÇA

Nas salas de aula, quando o professor diz o nome do aluno, ele responde: "Presente". Aos meus 26 anos, paramentado para ser ordenado sacerdote, na Catedral de Montes Claros, no dia 12 de dezembro de 1959, às nove horas da manhã, esperava compenetrado o momento de o Bispo dizer meu nome. Era o rito da presença. Em dado momento da cerimônia, já em curso, ele chama, convoca, em voz alta: *Jorge Ponciano Ribeiro* e eu, dando um passo à frente, digo: *Adsum*, Presente. Quarenta e seis anos depois, ao relembrar emocionado aquele momento, tenho a sensação de que aquele "Presente" foi a mais profunda presença de mim mesmo que vivi até hoje, com 73 anos, porque aquele gesto mudaria minha vida para sempre. O aluno diz: "Presente" e pode estar atento ao chamado ou à chamada do professor, como pode estar brincando, distraído, apenas respondendo a um gesto do mestre. Quando respondi: "Presente", tenho absoluta consciência de que todo o meu ser estava presente. Eu era fé, esperança, entrega, certeza, ousadia, humildade, convicção profunda de que, naquele momento, todo o meu ser estava sendo entregue nas mãos de Deus. Então me pergunto o que é presença, o que é estar presente em si mesmo ou para si mesmo.

Acredito que existam níveis de presença. **Presença física**, em que nem eu mesmo me dou conta de que estou presente, simplesmente estou por ali; **presença ritualística**, como a do aluno numa sala de aula, alguém numa igreja, no maior papo com o vizinho do lado, pois, nessas circunstâncias, conta mais o lugar que a pessoa – o lugar torna a

pessoa presente: a sala, o aluno, a igreja, o crente, o fiel.
Presença de ofício, como o soldado que patrulha uma rua, como o servidor público que atende a uma pessoa – aqui, os dois, teoricamente, estão presentes: o soldado e a rua, o funcionário e sua seção de trabalho. As possibilidades de "presença" são infinitas, embora, em minha relação com a realidade de fora, eu a torne presente para mim: eu me apercebo de um céu estrelado, do perfume de uma flor, de alguém que me pede ajuda. Nestes casos, percebo e posso ou não me envolver com estas **situações**.
Parece então que presença é, antes de tudo, envolver-se com a realidade. Deste modo, quanto mais me envolvo com a realidade, mais presente estou em mim e para mim. Posso ainda me envolver ou estar presente cognitiva, emocional, motoramente ou pela fala, que também são níveis de presença em mim e com a realidade. Dou-me conta de que estou dizendo "como" a presença acontece, mas não "o que é" presença. Na verdade, o como ela acontece me levará ao que de fato ela é. Grosseiramente falando, existem apenas três níveis de presença: 1. estou presente, aqui-agora, em mim pela consciência de meu ser; 2. estou presente no mundo e para o mundo, em que presença significa basicamente ter consciência de minha relação com o mundo e no mundo; e 3. o mundo está presente ou faz presença em mim, independentemente de qualquer vontade minha.

Tento concluir que presença envolve esses três aspectos: eu comigo, eu com o mundo e o mundo comigo. O primeiro é aparentemente um ato solitário de presença; o segundo e o terceiro, uma presença relacional. Dito isso, defino presença com base em mil horizontes, sendo **presença** basicamente sentir-se inteiro. *Presença é contato pleno comigo mesmo, é a consciência reflexa de minhas possibilidades no mundo, é ruptura em mim de qualquer dicotomia, é a consciência* *emocionada de minha humilde totalidade, é a convergência sentida de minha existência num retorno e com um acoplamento perfeito ao que sou, é olhar para mim e me sentir vivo, vivente, é me confundir com as estrelas, com os oceanos, com o cantar dos pássaros, com o perfume das flores e sentir nossa infinita e mágica unidade, é perceber que o que é meu está em mim, que não tenho nada emprestado e não existem pedaços meus fora de mim agindo em meu nome, é me sentir uma fagulha na qual todo o universo se repete e brilha.* E agora me pergunto se ainda falta alguma coisa.

Penso então, que, se ainda falta alguma coisa, minha definição de presença não está, conceitualmente, presente à noção de presença, e aí fico num beco sem saída, porque, se presença é totalidade sentida, por mais que defina presença, estarei sempre em falta: paro ou continuo. Continuo, tentando encontrar a definição perfeita. Deste modo, transporto-me para a Bíblia e vejo Moisés perguntando a Deus, diante da sarça ardente: "Quem és, para que eu diga o teu nome a quem me enviou?" Ao que Deus respondeu: "Aquele, que É, te envia, eu sou aquele que É". O nome dEle é É. Depois dessa, eu paro, porque entendi pela resposta de Deus que presença é a coincidência metafísica, ontológica entre essência e existência, e, neste caso, somente Ele é Presença. Nossa presença, reflexo de uma totalidade maior, é constituída no dia-a-dia.

A TEORIA. Presença é um atributo da existência. Existir é um plenificar-se da presença e presença é um plenificar-se da existência. A sensação de estar presente em si mesmo acontece quando se tem uma profunda consciência da própria totalidade, uma sensação de inteireza. O *substratum* da presença passa também por questões ético-espirituais como o exercício da fé, a sensação de esperança e a prática do amor, bem como trabalhar com alegria, sentir-se irmão e irmã um do outro estão relacionados com encantamento, com êxtase, com experienciar o espaço e o tempo como aliados, com estar incluído nas transformações do universo e sentir-se cúmplice de todos os passos que a caminhada da humanidade faz com nossos pés. Os conceitos de *ajustamento criativo*, awareness, *contato, bloqueio do contato, campo, cuidado, diálogo, necessidade* e *totalidade* podem nos ajudar a trabalhar com o conceito de **presença**.

A CLÍNICA. A neurose, qualquer que seja, é uma disfunção da presença. Os bloqueios do contato são cortes na experiência da presença e os mecanismos de cura são formas de presentificar as energias que esperam para ser acordadas e postas em ação. Baixa auto-estima e visão negativa do próprio corpo podem ser disfunções da presença, pois o cliente, embora existindo, não se sente fazendo parte. Clinicamente, a presença do terapeuta deve preceder àquela do cliente. Se o terapeuta não está presente em si mesmo, dificilmente poderá ajudar os clientes, especialmente aqueles que perderam a crença no amor e na própria capacidade de amar. Tudo no consultório deve favorecer a presença, e é importante que o terapeuta se recorde que seu consultório não são apenas as quatro paredes nas quais ele atende, mas sim o cliente e o mundo por ele introjetado. O cliente é o consultório, e a relação cliente–terapeuta, a porta da presença, que não é a física, é também, mas é sobretudo, a alma do cliente e a do terapeuta, que se encontram e fluem, juntas, à procura de novas saídas.

RELAÇÃO COMPLEMENTAR

Somos, necessariamente, seres de relação, porque somos limitados, porque nenhum de nós é tão onipotente que não necessite do outro e porque somos partes constitutivas do universo, e partes só têm existência na totalidade, da qual emana seu sentido e significado. O isolamento prático ou teórico é uma mera abstração, um engano comportamental, na medida em que é da nossa essência ser ambiental e, conseqüentemente, relacional. *Complementar-se é da essência da parte e nós somos partes. Estar em contato é, portanto, nosso jeito natural de nos relacionar, sendo a recíproca igualmente verdadeira – nos relacionamos quando estamos em contato. Relacionar é se encontrar com o outro por algum tipo de troca, como uma locomoção no campo lewiniano, indo buscar no outro aquilo de que necessitamos.*

Usamos nossos sentidos como instrumentos de aproximação do outro e chegamos até ele em diferentes níveis de encontro. Com algumas pessoas, nos relacionamos prioritariamente pelo olhar; com outras, pelo ouvir; com outras, pelo olfato; com outras ainda, por gosto, tato e movimento, faculdades mediante as quais captamos as sensações que nos permitem um contato intuitivo com a realidade, dando-nos instrumentos para conhecer melhor nossa relação com o mundo. *Seres de relação, vivemos uma permanente interdependência, de tal modo que nada pode ser concebido como absolutamente isolado. É de nossa essência depender um do outro. O contato é o instrumento pelo qual suprimos nossas necessidades e por ele passamos a ter, paradoxalmente, a sensação da independência.*

Nessa caminhada para o encontro humano, nosso corpo, por intermédio de seus sentidos, nos mostra onde estamos e aonde podemos ir. É interessante lembrar que temos dois olhos, dois ouvidos, duas narinas, uma boca e o tato que está esparramado por todo o corpo. Os sentidos são absolutamente necessários à vida, pois sem eles a vida não poderia ser vivida. Com sua ajuda, percebemos onde estamos, mas olhos, ouvidos e nariz parecem exercer funções não delegáveis, uma vez que, sem qualquer um desses três sentidos, a vida se tornaria quase impossível – talvez por isso tenhamos dois olhos, dois ouvidos, duas narinas, para nos lembrar a importância de sua função no desempenho total do organismo, como instrumentos máximos das relações complementares. *Assim, podemos falar de uma complementaridade funcional organísmica, por meio da qual se cria um apelo a um nível de transcendentalidade, que supera a simples relação formal de algo que complementa outro.* Refiro-me a um vazio ontológico presente em todo ser e a uma abundância ontológica presente também em todo ser, de tal modo que os seres, ao se encontrarem nestes dois níveis de carência e abundância, realizam esta troca transcendental pela qual a existência de todos se torna possível.

Algumas pessoas funcionam mais pela privação, outras pela abundância. Privação cria necessitados de afeto, de cuidado, de aceitação, enquanto abundância cria os que esbanjam a existência, pedindo, exigindo ou dando demais. Ambos, contudo, procuram desesperadamente a própria individuação, a libertação do coletivo, do igual, do comum com todos. Somos pessoas, máscaras vivas, porque vivemos uma totalidade precária e porque somente a totalidade é autêntica. Completar-se, portanto, é natural ao ser humano, necessário até, se se pretende sentir como uma totalidade em processo. *Relação complementar é o processo através do qual duas pessoas se encontram a fim de se dar ou trocar mutuamente aquilo de que sentem falta, para, então, se sentir plenas, inteiras, na cumplicidade do partilhamento. Esta troca ocorre nos níveis, cognitivo, emocional, motor e lingüístico, e nesta troca, profunda e dinamicamente humana, as pessoas vivem no outro a beleza daquilo que nelas falta.*

É interessante observar que a relação complementar ocorre também com coisas e animais domésticos, de tal forma que, de fato ou pelo imaginário, damos a coisas e a animais aquilo que imaginamos que eles não possuem, e tiramos, colhemos deles aquilo que eles não têm condição de nos negar. Por trás de todo apego exagerado, existe uma relação complementar silenciosa, como um sutil comércio que supre o que, às vezes, a pessoa não pode ou não consegue ter e não sabe pedir. A relação complementar é uma relação de contato, um sistema de contatos, que, como toda relação, pode apresentar seus bloqueios, fazendo a energia deixar de fluir, constituindo assim uma relação complementar neurótica, na qual duas pessoas se nutrem ou nutrem o outro daquilo que não lhes pertence. É uma relação baseada na fome, na privação e na desigualdade.

A TEORIA. Relação complementar é uma relação de partes que entre si buscam no outro o que lhes falta e, nesta troca, têm a sensação de completitude. Trata-se, portanto, de uma relação de troca, às vezes, a um alto preço e, em outras, graciosamente. É muito comum pessoas quererem receber o valor antes de entregar a mercadoria, por meio de eternas cobranças, impedindo que o outro encontre o caminho de sua individuação. Do lado de cá, só resta o caminho da sonegação. Aqui, o contato é uma forma clara de dominação. Uma relação complementar saudável, entretanto, fruto do contato em forma de encontro, nasce da percepção clara de que somos seres de relação e, por conseguinte, incompletos. E é esta sensação de incompletude que aproxima as pessoas e, num sagrado comércio, dá as boas-vindas aos bens que o outro generosamente lhe oferece. *A relação complementar está na base de toda forma de contato e de encontro porque é ela que distribui a abundância de cada um no banquete da vida, banquete que, por mais rico que seja, jamais terá todos os cardápios, cujas receitas muitos guardam no mais profundo de seus celeiros, dispostos a abri-los somente àqueles que, de fato, sabem receber.* Entre outros conceitos que podemos usar, creio que os de *ajustamento criativo*, *diálogo*, *contato*, *cuidado*, *mudança paradoxal*, *necessidade* e *presença* podem ajudar a trabalhar mais eficientemente a **relação complementar**.

A CLÍNICA. Freqüentemente, a neurose é fruto de relações complementares doentias, nas quais a pessoa bloqueia o contato com o outro e consigo mesma como forma de sobrevivência. A relação complementar passa a ser doentia quando ambos ou um dos dois não consegue mais viver sem o outro, que deixa de ser uma opção para se tornar uma necessidade na vida do outro. É difícil para o cliente romper uma relação complementar doentia, tendo em vista que ela nasceu de um movimento de equilibração organísmica e fez, muitas vezes, do ajustamento criativo seu caminho para a saúde. Contudo, em algum lugar, essa conexão saudável se perdeu porque o outro, ao mesmo tempo que é nossa solução, pode ser também nosso maior problema. Sem romper a conexão entre a relação e seu complemento, dificilmente podemos ver o cliente com novas perspectivas. E isso não se pode fazer diretamente, pois, assim como a constituição da relação complementar foi feita a duas mãos, assim tem de ser sua dissolução, isto é, ambos precisam tomar consciência de que se tornaram alimentos tóxicos um para o outro. A utilização dos conceitos anteriormente indicados pode ajudar a romper os laços complementares, sem necessariamente destruí-los.

SELF

Palavra complexa, de difícil tradução, mas que pode ser traduzida em português por: "o si mesmo". Freqüentemente se explica como o self funciona sem, no entanto, explicar-se o que ele é – embora se possa chegar à essência de algo pela explicitação contínua de como sua existência acontece. *Self é uma estrutura cujo processo pretende revelar o íntimo funcionamento da personalidade ou da pessoa. É também um processo na e da pessoa, que indica um jeito peculiar e restrito de funcionar da personalidade.* Podemos dizer, em síntese, que ele é uma estrutura processual. Sem vida própria, trata-se de uma função de contatar da personalidade. É um dos sistemas da personalidade por meio do qual a pessoa pode ser reconhecida. É algo que, conquanto existindo na pessoa e em dependência dela, tem uma cara própria ou pode assim ser pensado.

O coração tem a função de bombear o sangue, os pulmões de prover a respiração, o self de facilitar a cada pessoa a percepção de si mesma, de fazer que ela sinta quem e como é. Temos essa sensação e essa sensação é o self sendo experienciado. Self é uma estrutura que encerra esse processo como função, é um sistema de contatos mediante os quais a pessoa se vê como sendo ela mesma e que lhe dá identidade. *Como não existe processo em estado puro, o self não pode ser pensado apenas como processo.* É um atributo da personalidade, que ajuda em sua estruturação – por exemplo, a sensualidade e a espiritualidade, que são também fatores de estruturação da personalidade.

Afirmamos que este self, tal como o descrevemos, tem três atribuições: 1. O id, que tenta responder ao "o quê" é o self, que está ligado ao sistema sensoriomotor e representa o antigo, o primitivo e as emoções básicas. 2. O ego, que responde ao "como" o self funciona e está ligado à função motora da personalidade. Esta função é responsável pelo movimento e pela execução das tarefas pensadas e propostas pela pessoa. 3. A personalidade, que responde ao "para quê" o self existe, é responsável pela pergunta "Quem sou eu", e faz parte do sistema cognitivo da personalidade. Vale notar que "função personalidade do self" é diferente do construto "personalidade", que envolve a totalidade da pessoa. Estas três funções estão sempre em funcionamento: o "id" como um gerador de processos; a "personalidade" como uma experiência consciente do que é a pessoa humana e, particularmente, este sujeito em questão; e o "ego" como aquele que faz, que escuta e está sempre disponível motoramente para o id e para a personalidade.

O corpo é nosso primeiro campo e nele tudo acontece por suas relações espaciais e temporais, e qualquer coisa que aconteça nele precisa ser vista dentro destas duas dimensões. Também o self, conquanto um órgão da mente, participa dessa dimensão espacial e temporal que caracteriza o funcionamento do organismo como um todo. Assim como não existe tempo em estado puro, a não ser pensado no nível ontológico, igualmente não existe processo em estado puro. O tempo é função de um espaço que existe aqui e agora, em dado campo. Da mesma forma o self, como uma central energética, como um centro controlador de energia em movimento, constitui-se primeiro como espaço e, somente num segundo momento, como tempo. Poderíamos pensar temporalidade do self ou função temporal do self, em estado puro, apenas como uma abstração filosófica, o que não nos ajudaria na imediatez do dado que temos diante de nós. Assim como o tempo é função do espaço, também o self é fruto de um espaço dentro de uma perspectiva psicológica e de um tempo vividos que, juntos, dão ao sujeito a sensação única de que ele é ele e não outro. Isso é o self acontecendo. Embora esta distinção seja válida, o que nos interessa é o aspecto clínico do self e a que serve sua noção do ponto de vista clínico psicoterapêutico, pois, do contrário, perdemos a idéia de self como um instrumento do trabalho clínico. Self é um conceito que tenta informar ao psicoterapeuta onde o cliente está em sua função id, ego e personalidade, como um diagnóstico descritivo-fenomenológico, como um mapa interior, como uma possível caminhada que possa indicar mudança de rumo e criar esperança no cliente. Refiro-me a um self definido como um sistema de contatos, como uma unidade que dá consistência e unidade ao funcionamento da personalidade, como algo que regula os diversos sistemas de contato do ou no organismo humano, como algo que é o si mesmo e me permite olhar e me reconhecer como um indivíduo diferente de qualquer outro.

A TEORIA. Pouco resta a acrescentar, visto que o construto self dá margem a uma gama de interpretações que dependerão do lugar do qual ele é observado. Talvez possamos falar de um self cognitivo, de um self emocional, de um self motor e até de um self lingüístico, uma vez que o self, como um sistema de contatos da pessoa, é sempre algo que precisa ser constituído, a cada momento. Fenomenologicamente, podemos descrevê-lo de muitas maneiras, embora, do meu ponto de vista, qualquer descrição deva passar pela conceituação de self como estrutura e processo, até para que seja um *locus* onde o contato possa ocorrer, dado que não existe processo em estado puro. Pensar o self apenas como um processo nos deixa a meio caminho entre existência e essência, um interminável "como" que nos abandona nos meandros da subjetividade e não nos dá o "si mesmo" da realidade. Os conceitos de *awareness*, *ajustamento criativo*, *auto-regulação organísmica*, *campo*, *fenômeno*, *ipseidade*, *presença* e *totalidade*, entre outros, ajudam-nos a chegar mais perto do que é o **self**.

A CLÍNICA. Para ser útil, um conceito precisa estar dentro de um campo teórico que facilite seu manejo, permitindo que possa ser utilizado como um instrumento de trabalho. Falar de um self falso e verdadeiro, de um self doente e sadio, não nos leva à compreensão do que, de fato, está acontecendo, pois, do ponto de vista da estrutura e do processo, só existe um self no aqui e agora do dado observado. O cliente à nossa frente é, amiúde, um mistério para ele e para nós, trazendo-nos sua subjetividade a fim de que, num processo de inclusão, nossa intersubjetividade nos permita um verdadeiro encontro. O cliente perdeu momentaneamente a capacidade de saber quem ele é, como se este "si mesmo" não dissesse nada para ele. Muitas vezes, ele troca realidade por fantasia, e seu self, único e singular, passa a ser constituído de realidade-fantasia. Por intermédio da idéia de self, o terapeuta tem no cliente uma grande pergunta: quem é este cliente diante de mim? E é a ausência desta resposta que nos deixa e ao cliente mal conosco e com o mundo, nos deixa doentes. Fato é, porém, que um conceito de self ou qualquer outro jamais nos dará essa resposta, na medida em que é a pessoa que revela o self e não o contrário.

TOTALIDADE

GESTALT É UMA CONFIGURAÇÃO de partes em inter e intrarelação, em inter e intradependência, formando uma unidade de sentido. Tudo que é percebido como uma totalidade pela consciência é uma Gestalt, que, por sua vez, pode também ser definida como totalidade. Quando definimos alguma coisa, falamos de sua essência e só a definimos ao captarmos sua totalidade. Quando olho uma flor, vejo sua cor, suas pétalas, sinto seu perfume, meus olhos devassam todos os seus detalhes e todo o meu ser se transforma nesta flor, numa sensação de totalidade existencial, em que eu sou para a flor e a flor é para mim, e aí sem nenhum esforço eu digo ou apenas penso: uma rosa. As partes desaparecem na dinâmica da totalidade. As partes da flor me conduziram à sua essência, colocaram-me no caminho da compreensão de seu ser, que se fez por intermédio de suas partes.

Na realidade, existe uma antecedência cronológica de percepção das partes com relação ao todo – embora as duas coisas nos cheguem intuitivamente. Contudo, é a antecedência conceitual ou o conceito ontologicamente pensado que nos permite, ao identificar as partes, intuir o todo e, ao percebê-lo, identificar as partes. Daí a afirmação de que o todo é diferente da soma de suas partes e de que ele nos permite ver a realidade como numa superposição de parte e todo e, do mesmo modo, ver a relação parte–todo como criadora da totalidade. Quando olhamos algo, vemos suas partes que nos conduzem à sua totalidade, a qual não nasce das partes, mas é co-criada juntamente com as partes por uma intuição mental. É-nos impossível, em um dado ser, separar suas partes de seu todo – seria como lavar uma barra de doce sem tirar o açúcar –; assim, modificando-se uma parte, o todo estará necessariamente modificado. Quando olho alguém andando com muita dificuldade, vejo uma totalidade à qual falta alguma coisa. E isso que falta me remete ao universo infinito das partes, que têm um apelo à completude. Parte não nasceu para ser parte, ela é um existencial que quer e precisa se acoplar a outras partes à procura de se entender a si mesma. O sintoma, por exemplo, é uma parte perdida de uma totalidade. Ser parte de uma totalidade é algo natural, mas ser sintoma é ser parte em desajuste com a totalidade, pois o sintoma rompe sua intrínseca harmonia. A totalidade ou as coisas vistas como uma totalidade têm uma energia que é própria desta totalidade que primeiro nos salta aos olhos e nos permite abeirarmos de sua essência. A percepção da totalidade é a percepção da essência de algo por seus elementos existenciais. Tão habituados a ver a totalidade das coisas por intermédio de suas partes, não prestamos atenção na mágica riqueza que a totalidade nos apresenta como um momento de recriação para o sujeito do significado real de um dado. É importante lembrar que toda totalidade, enquanto percebida, é uma totalidade no mundo. Minha percepção enxerga o objeto como inteiro no mundo, não posso pensar uma totalidade abstratamente, ou, se penso, não penso o mundo, mas apenas um objeto para minha consciência. Pensar uma totalidade é pensá-la como um fenômeno para minha consciência. Se penso "homem", penso a totalidade homem, pois minha relação é com o objeto que se apresenta à minha mente como uma totalidade e não como partes de algo.

Não se pode pensar alguém exclusivamente por uma parte ou um sintoma. Não devemos ter uma idéia da totalidade como algo físico ou geográfico. A percepção da totalidade envolve elementos conscientes e inconscientes. Aqui entram os conceitos de sentido e de significado e, conseqüentemente, de intencionalidade, elementos que arrastam a mente à compreensão do objeto. Quantas vezes nos enamoramos dos olhos lindos de alguém e, a partir de seus olhos e de seu olhar, nos enamoramos da alma e de todo o seu ser. É que vimos, na parte, a totalidade da essência do objeto visado. Parte e todo e todo–parte são complexas formas de contato pelas quais minha percepção é arrastada para captar o objeto, pois, tão logo um de nossos sentidos capta um objeto, imediatamente todo o meu ser, ou seja, minha totalidade, como tal, se predispõe a processá-lo como um dado para minha consciência.

A TEORIA. O universo é feito de todos, de totalidades. Assim, cada ser, no sentido de algo percebido por minha consciência, chega como uma totalidade. Os olhos vêem as partes e a consciência apreende a totalidade. A essência das coisas é constituída por sua totalidade e a existência, por suas partes. Nossa limitação perceptiva nos coloca, prioritariamente, diante das partes ou de partes que às vezes nos detêm com tanta força que mal podemos perceber a totalidade. Existem detalhes tão atraentes e significantes para nós que tornam a totalidade insignificante. Isso chega a implicar verdadeira inversão de valores, uma vez que a parte é tomada pelo todo. O oposto é mais sutil, ocorrendo tal fascinação pelo todo que nos inibe de ver uma parte, um detalhe que pode modificar a qualidade do todo. O todo é tomado pela parte. Lewin chama a atenção para o que ele qualifica de todo lógico, aquele em que qualquer parte, por mais insignificante que seja, quando mexida, tocada, afeta o todo por completo, isto é, qualquer parte, se alterada, afeta a lógica que rege a totalidade das coisas. E todo físico, aquele em que, embora uma parte lhe seja tirada ou alterada, o todo continua a funcionar como um todo. Um exemplo: quando se cortam as unhas dos pés, afeta-se o todo lógico, mas o todo físico continua a funcionar normalmente. Essa distinção é fundamental para trabalharmos o conceito de totalidade como expressão de uma experiência humana, quer seja ela vista como um todo físico – o detalhe não afeta a totalidade –, quer como um todo lógico – o detalhe faz todo o significado, enquanto afeta a realidade. A importância de ser parte ou todo não nasce de uma compreensão quantitativa da realidade vivida, mas do significado que a intersubjetividade estabelece entre observador e observado. Não importa se o detalhe é físico ou lógico, o que conta é o significado que ele cria na relação cliente–terapeuta. Aqui, os conceitos de *ajustamento criativo*, *aqui-agora*, awareness, *campo*, *contato*, *figura–fundo*, *necessidade*, *parte–todo* e *relação complementar* poderão nos ajudar didaticamente a trabalhar a **totalidade**, nos lugares em que ela não consegue se fazer perceber, seja como um todo físico, seja como um todo lógico.

A CLÍNICA. Estamos sempre entre partes e todo, e um dos grandes males da atualidade é a pressa, inimiga número um da percepção de totalidades. Não temos tempo para lidar com a totalidade das coisas. Nem sempre podemos testar a qualidade da totalidade das coisas, porque a pressa nos faz nos deter em seus detalhes, ou em alguma de suas partes, que naquele momento é o que nos interessa, transformando-as em uma totalidade. Na cronologia das coisas, a parte vem primeiro; porém, na essencialidade das coisas, é a totalidade que aparece inicialmente. Percebemos partes e partes, mas o que contém seu significado é a totalidade, na medida em que, por mais perfeita que seja uma parte, sozinha ela não passa de uma abstração. A analogia vale para o sintoma, que emerge como porta-voz da totalidade, sempre que esta não pode ou não consegue se fazer perceber. A regra da totalidade é: corpo são em mente sã, ou, melhor dizendo, mente sã em corpo são. Se a mente é sã, o corpo é são. Lidamos mal com o incompleto, com o inacabado, e, instintivamente, procuramos completar a realidade sempre que nossa percepção se confronta com a possibilidade do pleno, do perfeito que as coisas encerram, pois a totalidade é de tal modo fascinante que, no final, é sempre ela que puxa e guia nossos passos para uma melhor compreensão de nós mesmos. A neurose é o oposto, é a fixação de processos de contato em partes que terminam por desconstruir a dinâmica da totalidade. É importante que o terapeuta perceba como e onde a pessoa, sem notar, alterou sua própria totalidade, e perceba ainda como ela opta pela parte ou pelo todo, não se dando conta da dinâmica relacional dos dois movimentos ou de que tipo de desejo faz que ela se mantenha longe de suas verdadeiras necessidades. Quando rompemos nosso equilíbrio, passamos a nos expressar por meio de sintomas, como se fossem nossa totalidade. No intuito de sobreviver, optamos, inconscientemente, por nos deixar tomar por estas partes disfuncionais, que descaracterizam nosso funcionamento como uma totalidade. Por trás de tudo isso, estão nossos medos, inclusive um medo sutil de ser felizes, que vai, pouco a pouco, lesando ainda mais nossa totalidade já tão fragmentada.

POSFÁCIO

Hoje, quando dei por terminada minha tarefa de escrever este texto, senti-me como às vezes me sinto depois de uma longa caminhada, meio estranho, num misto de alegria, tristeza e mil perguntas.

Não escrevo por escrever. Meus textos são longamente pensados e os critérios que utilizo passam pelo seguinte questionamento: a comunidade gestáltica necessita de algo nesta linha? Se a resposta é sim, começo os preparativos para a grande caminhada.

Não foi fácil escrever este texto, sobretudo porque tenho a consciência clara de que falar sobre conceitos envolve algo que chamo de ética acadêmica. Envolve expressar um modo de pensar que não é, necessariamente, do autor, mas já pertencente a uma dada tradição de saberes. O autor, sem negar esta marca e esta marcha de construção conceitual, precisa passar à frente do já existente e apresentar um resultado que acrescente e permita ao leitor fazer suas sínteses, de tal modo que, também ele, se veja juntando saberes e crescendo teoricamente.

Espero ter dado um recado e uma contribuição, e, como não consigo sonegar, espero também ter dado o melhor de meu esforço, especialmente aos iniciantes, que terão, neste texto, uma lanterna a lhes indicar, em meio a possíveis dúvidas, um início de caminho.

Este não é um *vade-mécum* **da** Gestalt-terapia, mas sim **de** Gestalt-terapia, uma vez que resta muito a fazer, a teorizar. Desejo que o leitor veja este texto como um convite a que cada um destes construtos possa inspirar trabalhos posteriores e mais amplos, que permitam à nossa abordagem crescer e ser pensada pelo que ela é.

Obrigado por você ter lido este texto.

JORGE PONCIANO RIBEIRO

NOTAS

[1] L. A. Garcia-Roza, *Psicologia estrutural em Kurt Lewin*, p. 48.
[2] K. Lewin, *Teoria de Campo em ciência social*, p. 47.
[3] *Ibidem*, p. 48.
[4] *Ibidem*, p. 43.
[5] *Ibidem*.
[6] *Ibidem*, p. 44.
[7] Esclareço que, em *Do self e da ipseidade* (Summus, 2005), usei a palavra "ambientabilidade", que, agora, corrijo para "ambientalidade". "Ambientabilidade" significa condições adequadas para que o ambiente sobreviva. "Ambientalidade" é o que o ambiente significa, uma intrínseca qualidade de algo que tem no ambiente algo que lhe é constitutivo.
[8] *Ibidem*, pp. 269-70.
[9] J. Ponciano Ribeiro, *Teorias e técnicas psicoterápicas*.
[10] L. A. Garcia-Roza, *Psicologia estrutural em Kurt Lewin*, p. 88.
[11] *Ibidem*, p. 91.
[12] *Ibidem*, p. 87.
[13] Kurt Lewin, *op. cit.*, pp. 51-2.
[14] J. Zinker, *El proceso creativo en la terapia gestáltica*, 1979, p. 96.
[15] J. Ponciano Ribeiro, *O ciclo do contato: temas básicos na abordagem gestáltica*, pp. 54-7.
[16] P. Clarkson, *Gestalt counselling in action*, 1989, pp. 29 e 50.
[17] E. Polster; M. Polster, *Terapia gestáltica*, pp. 209-10.
[18] J. Zinker, *op. cit.*, pp. 22 e 105-7.

BIBLIOGRAFIA

ABBAGNANO, N. *Dicionário de filosofia*. São Paulo: Martins Fontes, 2000.

CLARKSON, P. *Gestalt counselling in action*. Londres: Sage Publications, 1989.

DORSCH, F. *Dicionário de psicologia Dorsch*. Petrópolis: Vozes, 2001.

GARCIA-ROZA, L. A. *Psicologia estrutural em Kurt Lewin*. Petrópolis: Vozes, 1974.

HOUAISS, A. *Dicionário Houaiss da língua portuguesa*. Rio de Janeiro: Objetiva, 2001.

LEWIN, K. *Teoria de Campo em ciência social*. São Paulo: Pioneira, 1965.

PERLS, F. *A abordagem gestáltica e testemunha ocular da terapia*. Rio de Janeiro: Zahar, 1973.

POLSTER, E.; POLSTER, M. *Terapia gestáltica*. Buenos Aires: Amorrortu, 1973.

RIBEIRO, J. Ponciano. *Psicoterapia grupo-analítica – abordagem foulkiana: teoria e técnica*. Petrópolis: Vozes, 1981.

_____. *Teorias e técnicas psicoterápicas*. Petrópolis: Vozes, 1986.

_____. "Educação holística". In: BRANDÃO, D. H. S.; CREMA, R. (orgs.). *Visão holística em psicologia e educação*. São Paulo: Summus, 1991, pp. 136-45.

_____. *Gestalt-terapia – o processo grupal: uma abordagem fenomenológica da Teoria do Campo e holística*. São Paulo: Summus, 1994.

_____. *Psicoterapia grupo-analítica: teoria e técnica*. Campinas/São Paulo: Livros Neli/Casa do Psicólogo, 1995.

_____. *O ciclo do contato: temas básicos na abordagem gestáltica*. São Paulo: Summus, 1997.

_____. *Gestalt-terapia de curta duração*. São Paulo: Summus, 1999.

_____. "Religião e psicologia". In: HOLANDA, A. F. (org.). *Psicologia, religiosidade e fenomenologia*. Campinas: Átomo, 2004, pp. 11-36.

_____. *Do self e da ipseidade: uma proposta conceitual em Gestalt-terapia*. São Paulo: Summus, 2005.

_____. "A natureza epistemológica da abordagem gestáltica: Gestalt-terapia como processo". In: HOLANDA, A. F.; FARIA, N. J. de (orgs.). *Gestalt-terapia e contemporaneidade: contribuições para uma construção epistemológica da teoria e da prática gestáltica*. Campinas: Livro Pleno, 2005, pp. 145-70.

_____. *Ruídos: contato, luz, liberdade – Um jeito gestáltico de falar do espaço e do tempo vividos*. São Paulo: Summus, 2006.

RIBEIRO, J. Ponciano; MORAES, C. "Paranormalidade e psicopatologia numa abordagem fenomenológica: relato de uma experiência". In: HOLANDA, A. F. (org.). *Psicologia, religiosidade e fenomenologia*. Campinas: Átomo, 2004, pp. 55-78.

ZINKER, J. *El proceso creativo en la terapia gestáltica*. Buenos Aires: Paidós, 1979.

JORGE PONCIANO RIBEIRO graduou-se em Filosofia e Teologia. É mestre e doutor em Psicologia pela Universidade Pontifícia Salesiana de Roma. Tem formação em Psicanálise e formação didática em Psicologia Analítica de grupo e em Gestalt-terapia. Fez dois pós-doutorados na Inglaterra e foi pesquisador e supervisor no Metanoia Psychotherapeutic Institute de Londres.

Com quarenta anos de magistério superior, foi professor de Metafísica e História da Filosofia na Unimontes (MG) e é professor titular e pesquisador sênior do Instituto de Psicologia da Universidade de Brasília. É também fundador e presidente do Instituto de Gestalt-terapia de Brasília e membro da International Gestalt Theraphy Association.

Ponciano escreveu vários livros, entre os quais *Gestalt-terapia: refazendo um caminho*; *Gestalt-terapia: o processo grupal*; *Gestalt-terapia de curta duração*; *O ciclo do contato*; *Do self e da ipseidade* e *Ruídos: contato, luz, liberdade*, todos publicados pela Summus.

leia também

O CICLO DO CONTATO
TEMAS BÁSICOS NA ABORDAGEM GESTÁLTICA
EDIÇÃO REVISTA
Jorge Ponciano Ribeiro

A obra discute temas fundamentais na conceituação teórica gestáltica, não necessariamente em situações psicoterápicas. Nesta edição revista, o autor examina a natureza do contato, fatores que podem facilitá-lo ou bloqueá-lo e o seu ciclo de desenvolvimento. Também inova ao conferir à Gestalt-terapia forma e estilo próprios da cultura brasileira.

REF. 10334   ISBN 978-85-323-0334-9

CONCEITO DE MUNDO E DE PESSOA EM GESTALT-TERAPIA
REVISITANDO O CAMINHO
Jorge Ponciano Ribeiro

Há 25 anos, Jorge Ponciano Ribeiro lançou um livro fundamental para a comunidade gestáltica brasileira: Gestalt-terapia, refazendo um caminho. Nesta nova obra, ele analisa as conquistas e mudanças das últimas décadas, refletindo sobre as novas configurações da Gestalt. Para tanto, analisa questões epistemológicas, filosóficas e teóricas, brindando estudantes e profissionais de psicologia com pensamentos profundos e renovadores.

REF. 10718   ISBN 978-85-323-0718-7

DO SELF E DA IPSEIDADE
UMA PROPOSTA CONCEITUAL EM GESTALT-TERAPIA
Jorge Ponciano Ribeiro

Autor de diversos livros de sucesso na área da Gestalt-terapia, Jorge Ponciano propõe aqui uma conceituação renovada para o estudo da identidade humana dentro da abordagem gestáltica. Mediante a noção de contato, fundamental para a Gestalt, estabelece distinções para a compreensão da individualidade como estrutura e como processo, e mostra como esses aspectos podem coexistir dentro da singular realidade da pessoa humana.

REF. 10050   ISBN 978-85-323-0050-8

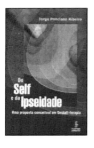

GESTALT-TERAPIA DE CURTA DURAÇÃO
EDIÇÃO REVISTA
Jorge Ponciano Ribeiro

A psicoterapia breve, focada em aspectos específicos, torna-se atualmente cada vez mais expressiva devido às exigências da moderna vida nas grandes cidades. Neste trabalho, pioneiro no Brasil, o autor aborda a psicoterapia de curta duração sob uma visão humanista, especificamente gestáltica, que enfatiza a liberdade e a responsabilidade da escolha.

REF. 10529   ISBN 978-85-323-0529-9

leia também

GESTALT-TERAPIA
O PROCESSO GRUPAL
Jorge Ponciano Ribeiro

A teoria da Gestalt vem enriquecendo-se com novos conceitos e ampliando seu campo de aplicação. Em estilo simples e conciso, o autor percorre temas-chave, aplica esta teoria ao trabalho com grupos e analisa sua especificidade, sua resistência e seu processo de cura. O grupo é a figura central desta obra, mas é a pessoa, como fundo do processo, o grande artífice dessa matriz.

REF. 10446   ISBN 978-85-323-0446-8

GESTALT-TERAPIA: REFAZENDO UM CAMINHO
EDIÇÃO REVISTA
Jorge Ponciano Ribeiro

Marco da Gestalt-terapia brasileira, esta obra ganha edição revista e mostra que permanece atual e dinâmica. Nela, Ponciano apresenta os pressupostos teóricos da Gestalt – humanismo, existencialismo e fenomenologia –, explica suas teorias de base – parte/todo, figura/fundo e aqui/agora etc. – e descreve os antecedentes pessoais que influenciaram Perls, como a psicanálise, as ideias reichianas e as religiões orientais.

REF. 10524   978-85-323-0524-4

HOLISMO, ECOLOGIA E ESPIRITUALIDADE
CAMINHOS DE UMA GESTALT PLENA
Jorge Ponciano Ribeiro

Este livro debate algumas demandas fundamentais do mundo moderno e fornece embasamento aos psicólogos para lidar com as disfunções psicológicas que permeiam os consultórios por falta de sensibilidade, engajamento ou conhecimento. Segundo o autor, com o aprofundamento dos temas holismo, ecologia e espiritualidade será possível encontrar soluções para as necessidades atuais do planeta.

REF. 10534   ISBN 978-85-323-0534-3

PSICOTERAPIA
TEORIAS E TÉCNICAS PSICOTERÁPICAS
Jorge Ponciano Ribeiro

Obra fundamental para estudantes de psicologia, este livro conceitua, define e analisa historicamente as diversas correntes de psicoterapia – em especial psicanálise, terapia fenomenológica, terapia corporal e terapia cognitivo-comportamental. Fala também de métodos, enfoques, transferência e contratransferência, relação terapeuta-paciente, psicodiagnóstico e psicoterapia individual e de grupo.

REF. 10896   ISBN 978-85-323-0896-2